SERIE INFINITA

M

EOIN COLFER

ARTEMIS FOWL

EL MUNDO SUBTERRÁNEO

Traducción de
Ana Alcaina Pérez

montena

El papel utilizado para la impresión de este libro ha sido fabricado a partir de madera procedente de bosques y plantaciones gestionadas con los más altos estándares ambientales, garantizando una explotación de los recursos sostenible con el medio ambiente y beneficiosa para las personas.

Por este motivo, Greenpeace acredita que este libro cumple los requisitos ambientales y sociales necesarios para ser considerado un libro «amigo de los bosques». El proyecto «Libros amigos de los bosques» promueve la conservación y el uso sostenible de los bosques, en especial de los Bosques Primarios, los últimos bosques vírgenes del planeta.

El editor agradece la ayuda del Ireland Literature Exchange (Translation Fund), Dublín, Irlanda
www.irelandliterature.com
info@irelandliterature.com

Título original: *Artemis Fowl*
Publicado originalmente en el Reino Unido por Puffin Books Ltd., 2001
Adaptación del diseño de la cubierta: Random House Mondadori
Ilustración de la cubierta: Kev Walker

Primera edición con esta cubierta: julio de 2011

Printed in Spain – Impreso en España

ISBN: 978-84-8441-806-1
Depósito legal: B-21.372-2011

Impreso en Limpergraf
Pol. Ind. Can Salvatella
c/ Mogoda, 29-31
08210 Barberà del Vallès

Encuadernado en Encuadernaciones Bronco

GT 1 8 0 6 1

Para Jackie

ÍNDICE

PRÓLOGO

¿Cómo describir a Artemis Fowl? Varios psiquiatras lo han intentado muchas veces y todas ellas han fracasado. El principal problema es la inteligencia de Artemis, pues emplea toda clase de artimañas para burlarse de los tests psicológicos a los que lo someten. Ha dejado perplejas a las mayores eminencias médicas y ha enviado a muchas de ellas en camisa de fuerza a sus propios manicomios.

No hay duda de que Artemis es un niño prodigio, pero ¿por qué alguien de su talento se dedica a cometer toda clase de actos criminales? Esta es una pregunta que sólo puede responder una persona, y prefiere no contestar por el momento.

Tal vez la mejor manera de realizar una descripción exacta de Artemis consista en explicar la ya famosa historia de su primera incursión en el mundo del crimen organizado. He redactado este informe a partir de entrevistas de primera mano con las víctimas, y a medida que se vaya desarrollando la acción, descubriréis que la tarea no ha sido nada fácil.

La historia comenzó hace varios años, a principios del siglo XXI. Artemis Fowl había ideado un plan para recuperar la

fortuna de su familia. Un plan capaz de poner en jaque a todas las civilizaciones y de provocar una auténtica guerra entre
especies en el planeta.

Tenía doce años en aquel entonces...

CAPÍTULO İ: **EL LİBRO**

 CİUDAD Ho Chi Minh en verano. Un calor asfixiante, se mire por donde se mire. Naturalmente, Artemis Fowl no habría estado dispuesto a soportar semejante suplicio de no haberse tratado de un asunto de la máxima importancia. De una importancia vital para el plan.

El sol no le sentaba bien a Artemis. No tenía buen aspecto bajo sus rayos. Las largas horas frente a la pantalla del ordenador le habían desteñido el color de la piel. Estaba pálido como un vampiro y casi igual de irritable a la luz del día.

—Espero que esto no sea otra pérdida de tiempo, Mayordomo —dijo en voz baja y entrecortada—. Sobre todo después de la última vez en El Cairo.

Era una pequeña regañina. Habían viajado hasta Egipto siguiendo las pistas proporcionadas por el confidente de Mayordomo.

—No, señor. Esta vez estoy seguro. Nguyen es un buen hombre.

—Hum —rezongó Artemis, escéptico.

Las personas que pasaban por allí se habrían asombrado al oír al enorme euroasiático llamar «señor» al chico. Al fin y al cabo, estábamos en el tercer milenio. Pero aquella no era una relación normal y corriente, y ellos tampoco eran dos turistas normales y corrientes.

Estaban sentados en la terraza de un café de la calle Dong Khai, viendo a los adolescentes del barrio dar vueltas a la plaza subidos a sus ciclomotores.

Nguyen llegaba tarde, y el ridículo pedazo de sombra que proporcionaba el parasol no servía de gran ayuda para mejorar el humor de Artemis. Sin embargo, no estaba más pesimista de lo habitual; al contrario: bajo su enfurruñamiento se escondía una chispa de esperanza. ¿De verdad resultaría fructífero aquel viaje? ¿Encontrarían el Libro? No podía hacerse demasiadas ilusiones.

De repente, un camarero se acercó a la mesa.

—¿Quieren más té, caballeros? —preguntó, meneando la cabeza frenéticamente.

Artemis lanzó un suspiro.

—Ahórreme toda esa pantomima y siéntese.

El camarero se volvió instintivamente hacia Mayordomo, quien, a fin de cuentas, era el adulto.

—Pero, señor, soy el camarero.

Artemis dio unos golpecitos en la mesa para reclamar su atención.

—Lleva mocasines hechos a mano, una camisa de seda y tres sellos de oro en los dedos. Por su acento, yo diría que ha estudiado en Oxford, y ese brillo en las uñas sólo se consigue después de una sesión de manicura. Usted no es camarero: es nuestro contacto, se llama Nguyen Xuan y se ha puesto ese disfraz tan patético para comprobar, sin levantar sospechas, si llevamos armas encima.

Nguyen dejó caer los hombros.

—Es verdad. Asombroso.

—No es para tanto. Un delantal raído no le convierte en camarero.

Nguyen se sentó y se sirvió un poco de té de menta en una diminuta taza de porcelana.

—Permítame que le ponga al día con respecto a las armas —prosiguió Artemis—. Yo voy desarmado, pero Mayordomo, mi..., bueno..., mi mayordomo lleva una Sig Sauer semiautomática en la sobaquera, dos machetes en las botas, una Derringer de dos cañones en la manga, hilo de nailon para estrangulamientos en el reloj y tres granadas aturdidoras escondidas en varios bolsillos. ¿Algo más, Mayordomo?

—La porra, señor.

—Ah, sí. Una buena porra como las de antes metida por dentro de la camisa.

Nguyen se llevó la taza a los labios con mano temblorosa.

—Pero no se asuste, señor Xuan —sonrió Artemis—. No vamos a utilizar esas armas contra usted.

Sus palabras no parecieron tranquilizar a Nguyen.

—No —continuó Artemis—. Mayordomo podría matarlo de cien maneras distintas sin necesidad de recurrir a su arsenal. Aunque estoy seguro de que con una sola bastaría.

Ahora Nguyen estaba muerto de miedo. Artemis solía producir ese efecto en la gente. Un adolescente paliducho que hablaba con la autoridad y el vocabulario de un adulto poderoso. Nguyen ya había oído hablar de Fowl antes —¿quién no había oído ese nombre en los bajos fondos internacionales?—, pero había supuesto que tendría que vérselas con alguien mayor, no con aquel mocoso. Aunque la palabra «mocoso» no hacía justicia a aquel individuo descarnado. Y aquel gigante, Mayordomo... Saltaba a la vista que era capaz de partirle la columna a un hombre como si tal cosa con aquellas manazas de mamut. Nguyen empezaba a pensar que no valía la pena pasar un minuto más en tan extraña compañía, ni por todo el oro del mundo.

—Y ahora, vayamos al grano —dijo Artemis, al tiempo que colocaba una micrograbadora encima de la mesa—. Usted respondió a nuestro anuncio en Internet.

Nguyen asintió, rezando por que su información fuese exacta.

—Sí, señor..., maestro Fowl. Lo que usted está buscando... Sé dónde está.

—¿De veras? ¿Y se supone que tengo que confiar en su palabra? Podía estar tendiéndome una trampa. A mi familia no le faltan enemigos.

Mayordomo dio un manotazo a un mosquito que rondaba la oreja de su amo.

—No, no —repuso Nguyen, hurgando en su cartera—. Échele un vistazo a esto.

Artemis examinó la Polaroid. Trató con todas sus fuerzas de apaciguar los latidos de su corazón. Parecía prometedora, pero en aquellos tiempos se podía falsificar cualquier cosa con un PC y un escáner. En la foto aparecía una mano entre una nebulosa de sombras. Una mano con manchas verdes.

—Hum... —murmuró—. Explíquese.

—Esta mujer. Es una curandera que vive cerca de la calle Tu Do. Trabaja a cambio de licor de arroz. Se pasa el día borracha.

Artemis asintió con la cabeza. Tenía sentido. El alcoholismo. Uno de los pocos hechos lógicos que había descubierto en su investigación. Se levantó, alisándose las arrugas del polo blanco.

—Muy bien. Adelante, señor Xuan, le escuchamos.

Nguyen se limpió el sudor de su bigote hirsuto.

—Sólo información. Ese era el trato. No quiero que me echen ningún mal de ojo.

Mayordomo agarró al confidente por el pescuezo con mano experta.

—Lo siento, señor Xuan, pero hace un rato que perdió su capacidad de decisión en esa materia.

Haciendo caso omiso de sus protestas, Mayordomo arrastró al vietnamita hasta el cuatro por cuatro que habían alquilado, poco útil en las calles planas de Ciudad Ho Chi Minh, o Saigón, como seguían llamándola las gentes del lugar, pero Artemis prefería no tener nada que ver con la población civil.

El todoterreno empezó a avanzar con una lentitud exasperante, más aún por la ansiedad que se iba acumulando en el pecho de Artemis. Era incapaz de reprimirla por más tiempo. ¿Habría terminado por fin su búsqueda? Después de seis falsas alarmas en tres continentes, ¿podría ser aquella curandera borrachuza su proverbial caldero de oro al final del arco iris? Artemis por poco se echó a reír. Oro al final del arco iris. Acababa de hacer un chiste. Vaya, aquello sí que era toda una novedad.

Los ciclomotores se esfumaron como si fuesen un banco de peces gigante. La muchedumbre no parecía terminar nunca. Incluso los callejones estaban llenos hasta los topes de buhoneros y vendedores ambulantes. Los cocineros echaban cabezas de pescado en los woks chirriantes de grasa y los rateros se abrían paso a escasos palmos del suelo en busca de objetos de valor desatendidos por sus dueños. Otros estaban sentados en la sombra, gastándose los dedos en las Gameboys.

Nguyen tenía la camisa caqui empapada en sudor. No era por culpa de la humedad, pues estaba acostumbrado a ella, sino por aquella maldita situación. Tendría que haberlo pensado dos veces antes de mezclar la magia con la delincuencia. Juró que si salía de esta, cambiaría de vida. Se acabaría lo de responder a extrañas solicitudes por Internet y, desde luego, no volvería a codearse nunca más con los hijos de los señores del crimen europeos.

El todoterreno no pudo seguir avanzando: las callejuelas se hacían cada vez más estrechas. Artemis se dirigió a Nguyen.

—Parece que tenemos que continuar a pie, señor Xuan. Eche a correr si quiere, pero prepárese para sentir un dolor punzante y mortal entre los omoplatos.

Nguyen miró a Mayordomo a los ojos, que eran de color azul oscuro, casi negros. No había rastro de misericordia en aquellos ojos.

—No se preocupe —dijo—. No pienso huir.

Se bajaron del vehículo. Un millar de ojos suspicaces siguieron su recorrido por el callejón humeante. Un desafortunado ratero intentó robarle la cartera a Mayordomo. El criado le rompió los dedos al hombre sin ni siquiera bajar la vista. Después de aquello, todo el mundo empezó a apartarse de ellos.

El callejón se estrechó hasta convertirse en un camino lleno de surcos. Las aguas residuales y los desagües se vertían directamente en la superficie cubierta de barro. Los lisiados y los mendigos dormitaban acurrucados en islas de esterillas de arroz. La mayoría de los que estaban en aquella calle no tenían nada que perder, salvo tres de ellos.

—¿Y bien? —preguntó Artemis—. ¿Dónde está esa mujer?

Nguyen señaló con el dedo un triángulo negro bajo una oxidada escalera de incendios.

—Allí. Allí debajo. Nunca sale al exterior. Incluso para comprar licor de arroz envía a un recadero. Y ahora, ¿puedo irme?

Artemis no se molestó en contestar, sino que echó a andar por el camino encharcado hasta llegar al hueco de la escalera de incendios. Distinguió unos movimientos furtivos entre las sombras.

—Mayordomo, ¿me pasas las gafas, por favor?

Mayordomo extrajo un par de gafas de visión nocturna de su cinturón y las depositó en la mano extendida de Artemis. El motor del objetivo empezó a zumbar para adaptarse a la luz.

Artemis se colocó las gafas. Todo a su alrededor se volvió de color verde radiactivo. Tras inspirar hondo, volvió su mirada hacia las sombras que no dejaban de retorcerse. Había algo agachado sobre una esterilla de rafia, revolviéndose con inquietud bajo la luz casi inexistente. Artemis ajustó el objetivo. La figura era pequeña, anormalmente pequeña, y estaba envuelta en un chal mugriento. Varias jarras de licor yacían semienterradas en el barro que la rodeaba. Un antebrazo asomaba bajo la tela. Parecía verde, pero también lo parecía todo lo demás.

—Señora —dijo—. He venido a hacerle una proposición.

La cabeza de la figura se bamboleó con aire soñoliento.

⏤ ⟲⟅◊⊙⟴⏃ · ⌿ · ⟡⟡⟁⟓ · ⟲⟄⟆⟴⟁⟓ ⟿ · ⟢⟆

—Licor —bramó, con el sonido chirriante de unos clavos al deslizarse por una pizarra—. Licor, inglés.

Artemis esbozó una sonrisa. El don de lenguas, la aversión a la luz... Pero tenía que estar seguro.

—En realidad soy irlandés, pero ¿qué me dice de mi proposición?

La curandera meneó un dedo huesudo con astucia.

—Primero el licor. Luego hablamos.

—¿Mayordomo?

El guardaespaldas hurgó en un bolsillo y extrajo media pinta del mejor whisky irlandés. Artemis tomó la botella entre sus manos y la hizo asomar entre las sombras con ademán insinuante. Apenas si le había dado tiempo de quitarse las gafas cuando el garfio de aquella mano surgió de la penumbra para atrapar el whisky. Una mano verde moteada. No había ninguna duda.

Artemis reprimió una sonrisa triunfante.

—Paga a nuestro amigo, Mayordomo. La suma completa. Recuerde, señor Xuan, esto debe quedar entre nosotros. No querrá que Mayordomo vuelva a por usted, ¿verdad que no?

—No, no, maestro Fowl. Mis labios están sellados.

—Será mejor que lo estén. O Mayordomo los sellará para siempre.

Nguyen desapareció a toda prisa por el callejón, sintiéndose tan aliviado por estar vivo que ni siquiera contó el fajo de billetes verdes, algo insólito en él. En cualquier caso, el dinero estaba todo allí: veinte mil dólares. No estaba nada mal para media hora de trabajo.

Artemis se dirigió de nuevo a la curandera.

—Y ahora, señora, usted tiene algo que yo quiero.

La lengua de la curandera atrapó una gota de alcohol en la comisura de los labios.

—Sí, irlandés. Dolor de cabeza. Mala dentadura. Yo curo todo.

Artemis volvió a colocarse las gafas de visión nocturna y se agachó para estar a la altura de la mujer.

—Estoy perfectamente sano, señora, salvo por una ligera alergia al polvo y a los ácaros, y no creo que ni siquiera usted pueda hacer algo al respecto. No. Lo que quiero de usted es su Libro.

La hechicera se quedó paralizada. Un par de ojos brillantes destellaron bajo el chal.

—¿Libro? —preguntó con cautela—. No sé nada de libro. Yo curandera. Si quieres libro, puedes ir biblioteca.

Artemis lanzó un suspiro fingiendo una paciencia que no sentía.

—Usted no es ninguna curandera. Usted es una duende, *p'shóg*, trasgo, *ka-dalun*. En el idioma que prefiera utilizar. Y quiero su Libro.

Durante largo rato, la criatura no dijo nada, y luego se retiró el chal de la frente. Bajo el brillo verde de las gafas de visión nocturna, sus rasgos aparecieron ante Artemis como una máscara de Halloween. Tenía una nariz larga y aguileña debajo de dos ojos dorados y rasgados. Las orejas eran puntiagudas y la adicción al alcohol había derretido su piel hasta convertirla en una especie de masilla.

—Si conoces el Libro, humano —empezó a decir muy despacio, luchando contra los efectos entumecedores del whisky—, entonces conoces la magia que tengo en mis puños. ¡Puedo matarte sólo con chasquear los dedos!

Artemis se encogió de hombros.

—No lo creo. Mírese. Está casi muerta. El licor de arroz le ha embotado los sentidos. La ha reducido a curar verrugas. Es patético. Estoy aquí para salvarla, a cambio del Libro.

—¿Y para qué querría un humano nuestro Libro?

—Eso no es asunto suyo. Lo único que necesita saber son las opciones que le quedan.

Las orejas de la duendecilla se estremecieron. ¿Opciones?

—Una, se niega a darnos el Libro y nosotros nos vamos a casa y dejamos que se pudra en esta cloaca.

—Sí —contestó la mujer—. Escojo esa opción.

—Ah, no. No sea tan impetuosa. Si nos vamos sin el Libro, morirá en un día.

—¡Un día! ¡Un día! —exclamó riendo la hechicera—. ¡Viviré cien años más que tú! Incluso los duendes atrapados en el reino de los humanos pueden sobrevivir durante siglos.

—No con media pinta de agua bendita en el interior de su cuerpo —repuso Artemis al tiempo que daba unos golpecitos a la botella, ahora vacía de whisky.

La hechicera palideció y acto seguido empezó a chillar haciendo un terrible sonido, estridente y quejumbroso.

—¡Agua bendita! Me has matado, humano.

—Es cierto —admitió Artemis—. Debería empezar a quemarle de un momento a otro.

La mujer se palpó el estómago con gesto vacilante.

—¿Y la segunda opción?

—Ahora me escucha, ¿verdad? Muy bien. Opción dos: me deja el Libro durante treinta minutos nada más y yo a cambio le devuelvo su magia.

La duende se quedó boquiabierta.

–¿Devolverme mi magia? No es posible.

–Sí que lo es. Tengo en mi poder dos ampollas. Una es un vial de agua de manantial del pozo de las hadas que se encuentra a sesenta metros por debajo del anillo de Tara, posiblemente el lugar más mágico de la Tierra. Esto actuará como antídoto del agua bendita.

–¿Y la otra?

–La otra es una pequeña inyección de magia hecha por la mano del hombre. Un virus que se alimenta de alcohol, mezclado con un reactivo. Purgará hasta la última gota de licor de arroz de su cuerpo, eliminará la dependencia y hasta reforzará su hígado enfermo. Sentirá algunas molestias, pero al cabo de un día estará dando brincos por ahí como si volviese a tener mil años.

La duende se humedeció los labios. ¿Volver a formar parte del mundo de las Criaturas? Era muy tentador...

–¿Y cómo sé que puedo confiar en ti, humano? Ya me has engañado una vez.

–Tiene razón. Le diré cuál es el trato. Yo le doy el agua de buena fe y luego, una vez que haya echado un vistazo al Libro, le daré la vacuna. Lo toma o lo deja.

La duende reflexionó unos minutos. El dolor ya estaba serpenteando por su abdomen. Extendió la muñeca.

–Lo tomo.

–Eso pensaba yo. ¿Mayordomo?

El gigantesco sirviente desenvolvió una funda cerrada con velcro que contenía una jeringuilla y dos ampollas. Rellenó la jeringuilla con el líquido más claro y la vació en el brazo sudoroso de la criatura, quien se puso rígida unos segundos y luego se relajó.

—Una magia muy fuerte —señaló.

—Sí, pero no tan fuerte como será la suya en cuanto le ponga la segunda inyección. Y ahora, el Libro.

La duende metió la mano en los pliegues de su bata raída y estuvo hurgando en ellos durante una eternidad. Artemis contuvo la respiración. Por fin. Muy pronto los Fowl volverían a ser poderosos. Construirían un nuevo imperio, con Artemis Fowl II a la cabeza del mismo.

La mujer extendió un puño.

—No te servirá de nada, de todos modos. Está escrito en el idioma ancestral.

Artemis asintió con la cabeza, sin atreverse a hablar.

La duende abrió los dedos nudosos. En la palma de su mano había un diminuto volumen dorado del tamaño de una caja de cerillas.

—Aquí lo tienes, humano. Treinta minutos humanos. No más.

Mayordomo asió el minúsculo tomo con gesto reverencial. El guardaespaldas activó una cámara digital compacta y empezó a fotografiar cada una de las delgadísimas páginas del Libro. El proceso tardó varios minutos. Cuando hubo terminado, la totalidad del volumen quedó almacenada en el chip de la cámara. Artemis prefería no correr riesgos con la información. Se sabía que los equipos de seguridad de los aeropuertos habían borrado más de un disco con información vital, de modo que dio instrucciones a su ayudante para que transfiriese el archivo a su teléfono móvil y desde allí lo enviase por correo electrónico a la mansión Fowl de Dublín. Antes de que acabasen los treinta minutos, el archivo que contenía hasta el último símbolo del Libro Mágico aguardaba sano y salvo en el servidor de Fowl.

Artemis devolvió el diminuto volumen a su dueña.

–Ha sido un placer hacer negocios con usted.

La mujer se tambaleó hasta caer de rodillas.

–¿Y la otra poción, humano?

Artemis sonrió.

–Ah, sí, la vacuna reconstituyente. Supongo que se la prometí.

–Sí, el humano prometió.

–Muy bien, pero antes de administrársela, debo advertirle que la purga no es agradable. No le va a gustar nada.

La duende empezó a gesticular señalando la mugre y la miseria de su alrededor.

–¿Y crees que me gusta esto? Quiero volar otra vez.

Mayordomo vació la segunda ampolla en la jeringuilla y se la clavó directamente en la carótida.

La mujer se desplomó de inmediato sobre la esterilla y todo su cuerpo empezó a temblar violentamente.

–Es hora de irse –observó Artemis–. Ver cómo cien años de alcohol abandonan un cuerpo no es un espectáculo agradable que digamos.

Los Mayordomo habían servido en el hogar de los Fowl durante siglos. Siempre había sido así. De hecho, varios lingüistas eminentes aseguraban que así se había acuñado el término. La primera constatación de tan insólito acuerdo tuvo lugar cuando Virgil Mayordomo fue contratado como sirviente, guardaespaldas y cocinero por lord Hugo de Fóle para una de las primeras grandes cruzadas normandas.

A la edad de diez años, todos los niños apellidados Mayordomo eran enviados a un centro privado de entrenamiento en Israel, donde les enseñaban las habilidades específicas necesarias para proteger y servir al último vástago de la saga Fowl. Entre estas habilidades se hallaba la cocina *cordon bleu*, la puntería, una mezcla personalizada de artes marciales, medicina de urgencias y tecnología de la información. Si al término de su formación no había ningún Fowl nuevo a quien servir, los Mayordomo enseguida eran contratados con entusiasmo como guardaespaldas por varios personajes de la realeza, generalmente en Mónaco o Arabia Saudí.

En cuanto se encontraban un Fowl y un Mayordomo, quedaban emparejados para el resto de sus vidas. Era un trabajo duro y solitario, pero las recompensas eran enormes si sobrevivían para disfrutar de ellas. Si no, la familia recibía una indemnización de seis cifras y una generosa pensión mensual.

El actual Mayordomo llevaba doce años sirviendo al joven amo Artemis, desde el nacimiento de este, y a pesar de que ambos obedecían las formalidades de épocas ancestrales, eran mucho más que amo y sirviente. Artemis era lo más parecido a un amigo que tenía Mayordomo, y este era lo más parecido a un padre que tenía Artemis, aunque se trataba de un «padre» que obedecía órdenes.

Mayordomo permaneció en silencio hasta que estuvieron a bordo del vuelo de conexión en Heathrow procedente de Bangkok. Entonces, tuvo que hacer una pregunta.

—¿Artemis?

Artemis levantó la vista de la pantalla de su PowerBook. Estaba empezando la traducción.

—¿Sí?

—La duende. ¿Por qué no nos hemos quedado con el Libro y la hemos dejado morir?

—Un cadáver es una prueba, Mayordomo. De este modo, las Criaturas no tendrán ningún motivo para tener sospechas.

—Pero ¿y la duende?

—Dudo mucho que confiese haber enseñado el Libro a unos humanos. Pero, por si acaso, mezclé un ligero amnésico con su segunda inyección. Cuando despierte, toda esta semana será una nube borrosa en su memoria.

Mayordomo asintió con gesto de admiración. Siempre dos pasos por delante, así era su amo Artemis. La gente solía decir de él que «de tal palo tal astilla», pero se equivocaban. El amo Artemis no se parecía a nadie, era único y nunca había habido otro igual.

Una vez disipadas sus dudas, Mayordomo volvió a la lectura de su ejemplar de *Armas y munición*, dejando que su jefe se encargase de desentrañar los secretos del universo.

CAPÍTULO II: LA TRADUCCIÓN

 A ESTAS alturas ya habréis adivinado hasta dónde estaba dispuesto a llegar Artemis Fowl para conseguir su objetivo, pero ¿cuál era exactamente su objetivo? ¿Qué idea descabellada incluía chantajear a una vieja duende alcohólica como parte del plan? La respuesta era el oro.

La búsqueda de Artemis había empezado dos años antes, cuando se había puesto a navegar por Internet por primera vez. Enseguida encontró las páginas más misteriosas: personas abducidas por extraterrestres, ovnis sobrevolando la Tierra, fenómenos sobrenaturales..., pero, sobre todo, la existencia de las Criaturas.

Navegando a través de gigabytes de información, encontró cientos de referencias a seres mágicos de casi todos los países del mundo. Cada civilización tenía su propio término para designar a las Criaturas, pero sin duda eran miembros de la misma familia misteriosa. Varios relatos mencionaban un Libro que todos los seres mágicos llevaban consigo. Era su Biblia, que supuestamente contenía la historia de su raza y los preceptos que regían sus largas vidas. Por supuesto, el Libro estaba escrito en gnómico, la lengua mágica, y a ningún humano podía serle útil.

Artemis creía que, con ayuda de la tecnología moderna, el Libro sí podría ser traducido, y con aquella traducción se podría empezar a explotar un nuevo grupo de seres.

«Conoce a tu enemigo» era el lema de Artemis, de modo que se dedicó a investigar las tradiciones de las Criaturas hasta que hubo compilado una exhaustiva base de datos sobre sus características. Pero no era suficiente, por lo que puso un anuncio en la web: «Hombre de negocios irlandés pagará una gran suma de dólares por conocer a un hada, duende, trasgo o elfo». La mayoría de las respuestas habían sido un fraude, pero la visita a Ciudad Ho Chi Minh había valido la pena.

Puede que Artemis fuera la única persona viva capaz de sacar provecho a su reciente adquisición. Todavía conservaba una fe infantil en la magia, atenuada por una determinación adulta de explotarla. Si había alguien capaz de quitar a las criaturas mágicas parte de su oro, ese era Artemis Fowl II.

Para cuando llegaron a la mansión Fowl, el sol ya había salido y, aunque estaba ansioso por bajar el archivo a su ordenador, Artemis decidió ir primero a ver a su madre.

Angeline Fowl llevaba postrada en cama desde la desaparición de su marido. Crisis de angustia, habían diagnosticado los médicos. No había ningún tratamiento para curarla salvo el reposo absoluto y las pastillas para dormir. De eso hacía casi un año.

La hermana pequeña de Mayordomo, Juliet, estaba sentada al pie de la escalera. Tenía la mirada hundida en un agujero de la pared. Ni siquiera el rímel brillante lograba endulzar su expresión. Artemis ya había visto aquella mirada, justo antes de que Juliet le hiciese un súplex a un pizzero demasiado descarado. El súplex —según había deducido Artemis— era un movimiento de lucha libre, una afición muy poco habitual para una quinceañera, pero había que tener en cuenta que la chica era, al fin y al cabo, una Mayordomo.

—¿Problemas, Juliet?

La chica se enderezó rápidamente.

—Ha sido culpa mía, Artemis. Al parecer, no cerré del todo las cortinas. La señora Fowl no ha podido dormir.

—Hum… —murmuró Artemis, enfilando la escalera de roble con paso lento.

Le preocupaba la enfermedad de su madre. Llevaba mucho tiempo sin ver la luz del día, y pese a todo, si de pronto se recuperase milagrosamente, si se levantase de la cama llena de vitalidad, aquello implicaría el fin de la extraordinaria libertad de Artemis. Significaría volver a la escuela y ya no habría más aventuras delictivas y emocionantes para ti, amigo mío.

Llamó con suavidad a la puerta doble en forma de arco.

—¿Madre? ¿Estás despierta?

Algo se hizo añicos al estrellarse contra el otro lado de la puerta. Por el ruido, parecía muy caro.

—¡Pues claro que estoy despierta! ¿Cómo iba a poder dormir con esta luz cegadora?

Artemis se decidió a entrar. En la habitación oscura, una cama antigua con cuatro columnas proyectaba sombras en forma de aguja, y una pálida astilla de luz asomaba a través de una rendija en las cortinas de terciopelo. Angeline Fowl estaba sentada en la cama con la espalda encorvada, y el brillo blanco de sus pálidos miembros reverberaba en la penumbra.

—Artemis, cariño, ¿dónde has estado?

Artemis lanzó un suspiro. Lo había reconocido. Era una buena señal.

—En una excursión con el colegio, Madre. Esquiando en Austria.

—Ah, esquiando... —repitió Angeline con voz suave—. Cuánto lo echo de menos... A lo mejor cuando vuelva tu padre...

Artemis sintió un nudo de emoción en la garganta, algo muy raro en él.

—Sí. A lo mejor cuando vuelva Padre.

—Cariño, ¿podrías cerrar esas malditas cortinas, por favor? La luz es insoportable.

—Por supuesto, Madre.

Artemis atravesó la habitación, procurando no tropezar con los arcones para la ropa desperdigados por el suelo. Al final enroscó los dedos alrededor de los cortinajes de terciopelo. Por un momento sintió la tentación de abrirlos de par en par, luego suspiró y cerró la rendija.

—Gracias, cariño. Por cierto, tenemos que deshacernos de esa criada cuanto antes. Es una verdadera inútil.

Artemis se mordió la lengua. Juliet había sido un miembro fiel y trabajador del hogar de los Fowl durante los tres años anteriores. Era el momento de aprovecharse de la mente distraída de su madre.

—Tienes razón, Madre. Llevo ya tiempo queriendo hacerlo. Mayordomo tiene una hermana que creo que sería perfecta para el puesto. Me parece que ya te he hablado de ella. ¿Juliet?

Angeline frunció el ceño.

–¿Juliet? Sí, ese nombre me suena. Bueno, cualquiera será mejor que esa idiota que tenemos ahora. ¿Cuándo puede empezar?

–Enseguida. Haré que Mayordomo vaya a buscarla a la casa.

–Eres un buen chico, Artemis. Y ahora, dale un abrazo a mamá.

Artemis se adentró en los pliegues oscuros de la bata de su madre. Olía a perfume, a pétalos flotando en agua, pero sus brazos eran fríos y débiles.

–Oh, cariño –susurró, y el sonido hizo que a Artemis se le pusiera la carne de gallina–. Oigo cosas. Por las noches. Se suben por las almohadas y entran en mis oídos.

Artemis volvió a sentir el mismo nudo en la garganta.

–Tal vez deberíamos abrir las cortinas, Madre.

–No –lloriqueó su madre, soltándolo de golpe–. No, porque entonces también los vería.

–Madre, por favor...

Pero era inútil. Angeline ya no estaba allí. Se arrastró hasta la esquina opuesta de la cama y se tapó hasta la barbilla con la colcha.

–Mándame a la chica nueva.

–Sí, Madre.

–Mándamela con rodajas de pepino y agua.

–Sí, Madre.

Angeline lo miró con ojos suspicaces.

–Y deja de llamarme «Madre». No sé quién eres tú, pero desde luego no eres mi pequeño Arty.

Artemis contuvo unas cuantas lágrimas rebeldes.

–Sí, claro. Lo siento, Mad... Lo siento.

⊙◐ · ⋃⧢⧖⧖⧖ · ⟊⧖◐⧖⊙⊖⊖⧖⧖⧖ ⊹

—Hum… No vuelvas a esta casa o haré que mi marido te eche a patadas. Es un hombre muy importante, ¿sabes?

—Muy bien, señora Fowl. Será la última vez que me vea por aquí.

—Eso espero. —Angeline se quedó paralizada de repente—. ¿Los oyes?

Artemis negó con la cabeza.

—No, no oigo ningún...

—¡Vienen a por mí! ¡Están por todas partes!

Angeline se hundió bajo las sábanas en busca de refugio. Artemis seguía oyendo sus sollozos aterrorizados mientras bajaba por la escalera de roble. ❧

El Libro resultó ser mucho más hermético de lo que Artemis esperaba. Parecía oponerle una resistencia casi activa; daba lo mismo el programa que utilizase: la pantalla del ordenador no arrojaba ningún resultado.

Artemis imprimió todas las páginas y las clavó con chinchetas en las paredes de su estudio. A veces era muy útil tener las cosas impresas en papel. Nunca había visto un alfabeto parecido y, sin embargo, le resultaba extrañamente familiar. Era evidente que se trataba de una mezcla de lenguaje simbólico y de caracteres, pero el texto serpenteaba por la página sin ningún orden aparente.

Lo que el programa necesitaba era un marco de referencia, unos parámetros y un núcleo central sobre el que construir todo lo demás. Separó todos los caracteres y estableció comparaciones con textos en inglés, chino, griego, árabe y alfabeto cirílico, e incluso en ogam, el misterioso alfabeto irlandés. Nada.

Malhumorado por su frustración, Artemis envió a Juliet a paseo cuando esta le interrumpió para ofrecerle unos bocadillos, y decidió concentrarse en los símbolos. El pictograma más recurrente era una pequeña figura masculina. Suponía que era masculina, aunque con su escaso conocimiento de la anatomía de los duendes, también podía ser femenina. De repente se le ocurrió una idea. Artemis abrió el archivo de lenguas de la Antigüedad del traductor de su PowerBook y seleccionó el egipcio.

¡Eureka! Por fin. El símbolo masculino se parecía extraordinariamente a la representación del dios Anubis en los jeroglíficos de la cámara interior de Tutankamón. Aquello concordaba con el resto de sus averiguaciones: las primeras historias humanas escritas hablaban del mundo de los seres mágicos y sugerían que esta civilización era anterior a la de los hombres. Al parecer, los egipcios se habían limitado a adaptar una escritura ya existente para satisfacer sus propias necesidades.

Había otras similitudes, pero los caracteres eran lo bastante distintos como para colarse por la red del ordenador. Habría que hacerlo manualmente. Había que aumentar el tamaño de todas y cada una de las figuras en alfabeto gnómico y luego había que imprimirlas y cotejarlas con los jeroglíficos.

Artemis sintió cómo el cosquilleo del éxito le subía por el pecho. Casi todos los pictogramas o las letras gnómicas tenían su correspondiente egipcio. La mayoría eran universales, como el sol o los pájaros, pero algunos parecían exclusivamente sobrenaturales y había que adaptarlos para que encajasen. No tenía sentido que la figura de Anubis, por ejemplo, se tradujese como dios chacal, por lo que Artemis lo adaptó para que fuese el rey de los seres mágicos.

Hacia medianoche, Artemis ya había introducido con éxito sus descubrimientos en el Macintosh. Ahora, sólo tenía que hacer clic en «Descodificar», y así lo hizo. Lo que apareció fue la larga e intrincada cadena de un galimatías incomprensible.

Un niño normal ya habría desistido mucho antes. El adulto medio seguramente se habría limitado a golpear el teclado con furia. Pero no Artemis: aquel libro le estaba poniendo a prueba, y no iba a permitir que le ganase la partida.

Las letras eran correctas, de eso estaba seguro. Sólo era el orden lo que estaba mal. Restregándose los ojos cargados de sueño, Artemis volvió a examinar las páginas. Cada segmento estaba rodeado por una línea sólida; aquello podía representar párrafos o capítulos, pero no para ser leídos de la manera habitual, de izquierda a derecha ni de arriba abajo.

Artemis empezó a hacer experimentos. Probó suerte con el orden de lectura árabe de derecha a izquierda y con las columnas chinas. No funcionó. Entonces descubrió que cada página tenía algo en común: una sección central. El resto de los pictogramas estaban ordenados en torno a aquella zona central, así que tal vez el centro fuese el punto de partida, pero ¿hacia dónde ir a partir de ahí? Artemis escaneó las páginas para encontrar una nueva característica en común. Al cabo de varios minutos, la encontró: en cada una de las páginas había una punta de lanza diminuta en la esquina de una sección. ¿Podía tratarse de una flecha? ¿De una dirección? ¿Habría que seguirla? Si así fuera, en teoría había que empezar por el medio y luego seguir la flecha, leyendo en espiral.

El programa informático no estaba preparado para leer algo así, por lo que Artemis no tuvo más remedio que improvisar. Con una cuchilla especial y una regla, diseccionó la primera página del Libro y la reordenó siguiendo el orden tradicional de los idiomas occidentales, de izquierda a derecha en hileras paralelas. A continuación, volvió a escanear la página y la pasó por el traductor de egipcio modificado.

El ordenador empezó a emitir zumbidos al tiempo que convertía toda la información en lenguaje binario. Se detuvo varias veces para pedir la confirmación de un carácter o un símbolo, pero esto fue ocurriendo cada vez menos a medida que la máquina aprendía el nuevo lenguaje. Al final, dos palabras parpadearon en la pantalla: **Archivo convertido**.

Con los dedos temblorosos por el agotamiento y los nervios, Artemis hizo clic en «Imprimir». La impresora láser escupió una sola página. Sí, había algunos errores, eran necesarios algunos retoques, pero podía leerse sin problemas y, más importante todavía, era perfectamente inteligible.

Plenamente consciente de que podía ser el primer humano en varios millares de años en descodificar las palabras mágicas, Artemis encendió la luz de su escritorio y empezó a leer.

El Libro de las Criaturas.
Instrucciones para comprender
nuestra magia y nuestras normas de vida

Llévame siempre contigo, cuídame con tiento,
pues soy tu maestro de herbario y encantamiento.
Yo soy tu vínculo con los poderes misteriosos,
si te olvidas de mí, se volverán tenebrosos.

Diez veces habrá diez consignas.
Resolverán todos los enigmas.
Maldiciones, alquimia, conjuros.
Secretos que, a través de mí, serán tuyos.

Pero debes recordar esto ante todo:
no soy de quienes habitan el lodo.
Que una maldición eterna atormente
a aquel que mis secretos cuente.

Artemis sintió que una oleada de emoción se apoderaba de él. Los tenía en sus manos. Serían como hormigas bajo sus pies. La tecnología se encargaría de desentrañar todos y cada uno de sus secretos. De repente le venció el cansancio y se desplomó en la silla. Pero todavía quedaba mucho trabajo por hacer: cuarenta y tres páginas por traducir, y eso sólo era el comienzo.

Pulsó el botón del intercomunicador que le ponía en contacto con los altavoces de toda la casa.

—Mayordomo. Busca a Juliet y venid aquí los dos. Tenéis que ayudarme a resolver un pequeño rompecabezas.

Llegados a este punto, tal vez convenga hacer un poco de historia familiar.

Los Fowl eran, ciertamente, unos criminales legendarios. Durante generaciones habían protagonizado escaramuzas al otro lado de la ley y habían ido acumulando suficientes fondos como para convertirse en ciudadanos legítimos. Por supuesto, enseguida descubrieron que la vida honrada no era de su agrado y decidieron volver a cometer actos delictivos casi de inmediato.

Había sido Artemis I, el padre de nuestro protagonista, quien había puesto en peligro la fortuna de la familia. Tras el derrumbamiento de la Rusia comunista, Artemis padre había decidido invertir una enorme parte de la fortuna Fowl en la creación de nuevas líneas de transporte hacia el vasto continente. Según su razonamiento, los nuevos consumidores necesitarían nuevos bienes de consumo. Sin embargo, a la mafia rusa no le sentó demasiado bien que un occidental intentase meter las narices en sus negocios, de modo que decidió enviarle un pequeño mensaje. El mensaje adoptó la forma de un misil Stinger robado y disparado contra el *Fowl Star* cuando este acababa de dejar atrás Murmansk. Artemis padre iba a bordo del barco junto con el tío de Mayordomo y doscientas cincuenta mil latas de Coca-Cola. Fue una explosión bastante espectacular.

Los Fowl no se quedaron en la miseria, ni mucho menos, pero dejaron de pertenecer a la categoría de los multimillonarios. Artemis II juró poner remedio a esta situación. Recuperaría la fortuna familiar y lo haría a su manera, una manera única y especial.

Una vez que el Libro estuviese traducido, Artemis podría empezar a hacer planes en serio. Ya sabía cuál era su objetivo definitivo, ahora podría pensar en cómo conseguirlo.

El oro, claro está, era el objetivo: hacerse con el oro. Al parecer, a las Criaturas les gustaba tanto como a los humanos el metal precioso. Cada duende tenía su propio alijo, pero no por mucho tiempo si Artemis lograba salirse con la suya: para cuando terminase, habría un duende menos paseándose por ahí con los bolsillos llenos de oro.

Después de dieciocho horas seguidas de sueño y un ligero desayuno continental, Artemis subió al estudio que había heredado de su padre. Se trataba de una habitación bastante clásica —estanterías de roble oscuro desde el suelo hasta el techo—, pero Artemis lo había decorado con los últimos avances en tecnología informática. Una serie de AppleMacs conectados en red zumbaban desde varias esquinas de la sala. Uno de ellos emitía la página web de la CNN a través de un proyector de grabación digital que reproducía sobre la pared negra imágenes gigantes de las últimas noticias.

Mayordomo ya estaba allí, encendiendo los discos duros.

—Apágalos todos excepto el Libro. Necesito silencio para esto.

El sirviente hizo lo que le decía. La página de la CNN llevaba encendida casi un año. Artemis estaba convencido de que la noticia del rescate de su padre aparecería en aquel monitor. El hecho de apagarlo significaba que estaba perdiendo la esperanza.

—¿Todos?

Artemis miró la pared negra unos instantes.

—Sí —respondió al fin—. Todos.

Mayordomo se tomó la libertad de darle una palmadita en la espalda a su amo, con suavidad, sólo una vez, antes de volver al trabajo. Artemis hizo crujir sus nudillos. Había llegado la hora de hacer lo que se le daba mejor: planear sus fechorías.

CAPÍTULO iii: **HOLLY**

 HOLLY Canija estaba tumbada en la cama con una rabieta de tomo y lomo, lo cual no tenía nada de particular, pues los duendes no son lo que se dice seres joviales y bonachones, pero Holly estaba de un exagerado malhumor, incluso para un ser mágico. Técnicamente era una elfa −«ser mágico» era más bien un término general−, y también era un duende, pero eso era sólo un trabajo.

Puede que una descripción resulte más útil que una lección sobre la genealogía de las criaturas mágicas. Holly Canija tenía la piel morena, el pelo corto castaño rojizo y los ojos de color avellana. Tenía la nariz aguileña y una boca regordeta y angelical, características muy apropiadas teniendo en cuenta que Cupido era su bisabuelo. Su madre era una elfa europea con mucho carácter y una figura muy esbelta. Holly también tenía un cuerpo delgado y unos dedos largos y finísimos, ideales para sostener la porra eléctrica. Sus orejas, por supuesto, eran puntiagudas. Con un metro exacto de altura, Holly sólo medía un centímetro menos que la media en el mundo de los seres mágicos, pero incluso un triste centímetro puede ser de vital importancia cuando no vas sobrado de estatura, precisamente.

El comandante Remo era el causante de su mal humor. Había estado buscándole las cosquillas a Holly desde el primer día. El comandante había decidido ofenderse por el hecho de que hubiesen decidido asignar a su escuadrón a la primera agente femenina de la historia de Reconocimiento. Reconocimiento era un destino notablemente peligroso, con un elevado índice de bajas mortales, y Remo no creía que fuese el lugar indicado para una chica. Bueno, pues iba a tener que ir acostumbrándose a la idea, porque Holly Canija no tenía ninguna intención de abandonar, ni por él ni por ninguna otra causa.

Aunque no lo admitiría jamás, otro posible motivo de la irritación de Holly era el Ritual. Llevaba varias lunas intentando realizarlo, pero por una u otra razón, nunca parecía tener tiempo, y si Remo se enteraba de que andaba escasa de magia, seguro que la trasladaban a Tráfico.

Holly se levantó rodando de su futón y se metió en la ducha. Esa era otra de las ventajas de vivir cerca del núcleo terrestre: el agua siempre estaba caliente. No había luz natural, por supuesto, pero era un pequeño precio que había que pagar por toda aquella intimidad. Bajo tierra. El último reducto libre de humanos. No había nada como volver a casa después de una larga jornada laboral, quitarse el escudo y sumergirse en una piscina de cieno burbujeante.

La elfa se preparó para salir, subiéndose la cremallera del mono verde pálido hasta la barbilla y colocándose el casco. Los uniformes de Reconocimiento de la PES eran muy funcionales aquellos días, no como esos disfraces horrorosos que el equipo había tenido que llevar en los viejos tiempos. ¡Zapatos de hebilla y pantalones bombachos! Como lo oyes. No era extraño que los duendes se considerasen unos seres tan ridículos en el folclore humano. Y sin embargo, probablemente era mejor así. Si los Fangosos supiesen que, en realidad, la palabra *peste*, por ejemplo, tenía su origen en la PES:TE, un cuerpo de elite de la Policía de Elementos del Subsuelo: Troles Evadidos, seguramente adoptarían medidas para aplastarlos a todos. Era mejor pasar desapercibidos y dejar que los humanos siguiesen con sus estereotipos.

Con la luna asomando ya por la superficie, no había tiempo para un buen desayuno. Holly abrió la nevera para coger los restos de un batido de ortigas y se lo bebió en los túneles. Como de costumbre, había un caos tremendo en la calle principal. Los duendecillos voladores habían atascado la avenida como piedras en una botella. Los gnomos tampoco eran de gran ayuda, pues avanzaban con torpeza con sus enormes traseros bamboleantes bloqueando dos carriles. Los sapos deslenguados infestaban todos los rincones húmedos, soltando palabrotas como carreteros. Aquella variedad en especial había empezado como una broma, pero se había ido multiplicando hasta convertirse en una verdadera plaga. A alguien se le había ido la varita mágica con aquellos sapos.

Holly se abrió paso a codazos entre la muchedumbre hasta llegar a la comisaría de policía. Ya había disturbios en el centro comercial Patata de Patata. El cabo Newt de la PES se estaba encargando de ellos. Ojalá lograse solucionarlo. Menuda pesadilla. Al menos Holly tenía la suerte de trabajar en la superficie.

Las puertas de la comisaría de la PES estaban abarrotadas de manifestantes. La guerra entre los trasgos y los enanos había estallado de nuevo, y cada mañana cientos de padres furiosos aparecían por allí exigiendo la liberación de sus inocentes vástagos. Si de verdad había algún trasgo inocente, Holly Canija no lo conocía todavía. Ahora estaban obstruyendo las celdas, berreando canciones típicas de la banda y arrojándose bolas de fuego unos a otros.

Holly se abrió paso a empujones hasta llegar a la multitud.

—Abran paso —rezongó—. Misión policial.

Todos acudieron a ella como moscas a un gusano apestoso.

—¡Mi Gruñón es inocente!

—¡Brutalidad policial!

—Agente, ¿podría llevarle esta mantita a mi niño? No puede dormir sin ella.

Holly activó la función reflejo de su visera e hizo caso omiso de todos ellos. Hubo un tiempo en que el uniforme inspiraba algo de respeto. Pero ya no era así. Ahora eras un simple objetivo.

—Perdone, agente, pero me parece que he perdido mi jarra de verrugas.

—Perdone, joven elfa, pero mi gato se ha subido a una estalactita.

O bien:

—Si tiene un momento, capitana, ¿podría decirme cómo se va a la Fuente de la Juventud?

Holly se estremeció. Turistas... Ella ya tenía sus propios problemas. Más de los que creía, como estaba a punto de averiguar.

En el vestíbulo de la comisaría, un enano cleptómano estaba muy ocupado hurgando en los bolsillos del resto de los miembros de la cola de espera, incluyendo los del agente al que estaba esposado. Holly le dio un golpe en la espalda con la porra eléctrica. La descarga chamuscó el trasero de sus pantalones de piel.

—¿Qué estás haciendo aquí, Mantillo?

Mantillo empezó a balbucear una respuesta mientras los objetos de contrabando le caían de las mangas.

—Agente Canija —dijo con voz quejumbrosa y un gesto de exagerado arrepentimiento en el rostro—. No puedo evitarlo. Soy así por naturaleza.

—Ya lo sé, Mantillo. Y nosotros tenemos por naturaleza la obligación de meterte en una celda durante un par de siglos.

Holly guiñó un ojo al agente que había arrestado al enano.

—Es bueno saber que estás ojo avizor.

El elfo se ruborizó y se agachó para recoger su cartera y su placa.

Holly pasó de largo por el despacho de Remo con la esperanza de poder llegar a su mesa antes de que...

—¡CANIJA! ¡VEN AQUÍ INMEDIATAMENTE!

Holly lanzó un suspiro. En fin. Ya estamos otra vez...

Con el casco debajo del brazo, Holly se alisó las arrugas del uniforme y entró en el despacho del comandante Remo.

La cara de Remo estaba roja de ira. Aquel era más o menos su estado habitual, característica que le había hecho ganarse el apodo de «Remolacha». En la comisaría habían hecho una porra apostando cuánto tiempo le quedaba antes de que le estallase el corazón. Los más espabilados habían apostado que, como mucho, medio siglo.

El comandante Remo estaba golpeando con el dedo el lunómetro que llevaba en la muñeca.

—¿Y bien? —preguntó—. ¿Qué horas son estas?

Holly sintió cómo se sonrojaba. Sólo llegaba un minuto tarde. Al menos una docena de agentes de su turno ni siquiera se habían presentado todavía, pero Remo siempre la escogía a ella para pegarle la bronca.

—Había un atasco en la calle —farfulló sin convicción—. Había cuatro carriles cerrados.

—¡No me insultes con tus excusas! —bramó el comandante—. ¡Sabes de sobra cómo está el centro de la ciudad! ¡Levántate cinco minutos antes!

Era verdad, sabía muy bien cómo se ponían las calles de Refugio en hora punta. Holly Canija era una elfa nacida y criada en la ciudad. Desde que los humanos habían empezado a experimentar con las perforaciones minerales, cada vez más duendes se habían marchado de las colonias de la superficie para adentrarse en las profundidades y la seguridad de Ciudad Refugio. La metrópolis estaba superpoblada, los servicios eran insuficientes y ahora, además, había una propuesta de ley para permitir el paso de automóviles por el centro peatonal de la ciudad. ¡Como si no estuviese lo bastante asqueroso ya con todos aquellos gnomos pueblerinos pululando por todas partes!

Remo tenía razón. Debía levantarse un poco antes. Sin embargo, no pensaba hacerlo, no hasta que obligasen a todos los demás a hacerlo también.

—Ya sé lo que estás pensando —dijo Remo—. ¿Por qué te regaño todas las mañanas? ¿Por qué no me meto con todos esos vagos?

Holly no respondió, pero la expresión de su cara estaba completamente de acuerdo con las palabras del comandante.

—Te diré por qué. ¿Quieres saberlo?

Holly se aventuró a asentir con la cabeza.

—Porque eres una chica.

Holly sintió cómo se le apretaban los puños. ¡Lo sabía!

—Pero no por las razones que crees —prosiguió Remo—. Eres la primera chica en Reconocimiento. La primera mujer de la historia de esta unidad. Eres un experimento. Un ejemplo que seguir. Hay un millón de duendes ahí fuera vigilando todos y cada uno de tus movimientos. Hay muchas esperanzas puestas en ti, pero también hay muchos prejuicios en tu contra. El futuro de las fuerzas de seguridad está en tus manos, y en este momento, yo diría que es un poco pesado.

Holly parpadeó. Remo nunca le había hablado así antes. Normalmente se limitaba a darle órdenes: «¡Ponte bien el casco!», «¡Camina derecha!», y bla, bla, bla.

—Tienes que hacerlo lo mejor que puedas, Canija, y eso significa ser mejor que todos los demás. —Remo emitió un suspiro y se hundió en su silla giratoria—. No sé, Holly. Desde el asunto de Hamburgo...

Holly hizo una mueca de dolor. El asunto de Hamburgo había sido un auténtico desastre. Uno de sus perpendiculares se había escapado a la superficie y había intentado pedir asilo a los Fangosos. Remo tuvo que detener el tiempo, llamar al Escuadrón de Recuperación y hacer cuatro limpiezas de memoria. Habían malgastado mucho tiempo policial. Y todo por su culpa.

El comandante cogió uno de los formularios que había encima de su mesa.

—Es inútil. Ya he tomado una decisión. Te voy a mandar a Tráfico y voy a llamar a la cabo Fronda para que te sustituya.

—¡Fronda! —exclamó Holly—. Es una Barbie. Una cabeza hueca. ¡No puede dejar que ocupe mi puesto!

La cara de Remo se puso de un tono rojo aún más oscuro.

—Puedo y lo haré. ¿Por qué no iba a hacerlo? Nunca me has dado lo mejor de ti, o quizá sea eso precisamente, quizá lo mejor de ti no sea bastante. Lo siento, Canija, tuviste tu oportunidad...

El comandante volvió a concentrarse en sus papeles. La reunión había terminado. Holly permaneció allí inmóvil, horrorizada. Lo había estropeado todo. La mejor oportunidad profesional que iba a tener en toda su vida y la había arrojado por la borda. Un solo error y su futuro era pasado. No era justo. Holly sintió que una ira desconocida se iba apoderando de ella, pero se contuvo. No era el momento de perder los nervios.

—Comandante Remo, señor. Creo que me merezco otra oportunidad.

Remo ni siquiera levantó la vista de los formularios.

—¿Y eso por qué?

Holly inspiró hondo.

—Por mi historial, señor. Habla por sí mismo, dejando a un lado lo de Hamburgo. Diez reconocimientos con éxito. Ni una sola limpieza de memoria ni una parada de tiempo, aparte de...

—Aparte de lo de Hamburgo —completó Remo.

Holly decidió arriesgarse.

—Si fuese un chico, uno de sus preciosos duendes, ni siquiera tendríamos esta conversación.

Remo levantó la mirada de golpe.

—Eh, un momento, capitana Canija...

Lo interrumpió un pitido procedente de uno de los teléfonos que había encima de su escritorio. Luego dos y luego tres. Una pantalla gigante cobró vida en la pared que había a sus espaldas.

Remo apretó el botón del auricular, poniendo a todos los interlocutores al habla a la vez.

—¿Sí?

—Tenemos un fugitivo.

Remo asintió con la cabeza.

—¿Qué dice Alcance?

Alcance era el nombre en clave de los rastreadores ocultos en los satélites de comunicación americanos.

—Sí —contestó el interlocutor número dos—. Hay una señal muy fuerte en Europa. En el sur de Italia. Sin escudo.

Remo profirió una maldición. Un duende sin escudo era visible para los ojos mortales. Eso no era tan malo si el perpendicular era humanoide.

—¿Clasificación?

—Malas noticias, comandante —dijo el tercer interlocutor—. Tenemos un trol evadido.

Remo se frotó los ojos. ¿Por qué estas cosas siempre tenían que pasarle a él? Holly comprendía su frustración. Los troles eran las criaturas más malas de todas las que habitaban los túneles subterráneos. Se paseaban por el laberinto alimentándose de cualquier cosa que tuviese la mala suerte de cruzarse en su camino. En sus cerebros minúsculos no había sitio para las normas o la contención. De vez en cuando alguno se colaba por el hueco de un elevador a presión. Normalmente, la corriente de aire concentrado los achicharraba, pero a veces uno sobrevivía y era propulsado a la superficie. Enfurecidos por el dolor y ante el más mínimo rayo de luz, se dedicaban a destruir todo cuanto hallaban a su paso.

Remo meneó la cabeza con energía, recuperándose.

—De acuerdo, capitana Canija. Parece ser que vas a tener otra oportunidad. Estás a tope, ¿verdad?

—Sí, señor —mintió Holly, a sabiendas de que Remo la expulsaría inmediatamente del cuerpo si supiese que había descuidado el Ritual.

—Bien, en ese caso firma al retirar el arma y dirígete a la zona del objetivo.

Holly miró a la pantalla. Los Alcances enviaban imágenes de alta resolución de una ciudad italiana fortificada. Un punto rojo se movía rápidamente por el campo en dirección a la población humana.

—Haz un reconocimiento completo e informa. No intentes llevar a cabo una recuperación, ¿entendido?

—Sí, señor.

—El último trimestre perdimos seis duendes en ataques contra troles. Seis duendes. Y eso fue bajo tierra, en territorio conocido.

—Entendido, señor.

Remo frunció los labios con cierto recelo.

—¿De verdad lo entiendes, Canija? ¿De verdad?

—Creo que sí, señor.

—¿Has visto alguna vez lo que un trol puede hacerle a un ser de carne y hueso?

—No, señor. Nunca lo he visto de cerca.

—Bien, pues que no sea esta la primera vez que lo ves.

—Entendido, señor.

Remo la fulminó con la mirada.

—No sé por qué, capitana Canija, pero cada vez que me dices «entendido, señor» me pongo muy nervioso.

Remo tenía motivos para estar nervioso. Si hubiese sabido cómo iba a acabar aquella misión de Reconocimiento, seguramente habría pedido la jubilación anticipada. Aquella noche iba a pasar a la Historia, y no precisamente por tratarse de un feliz acontecimiento histórico como el descubrimiento del radio o el primer viaje del hombre a la Luna, sino por un suceso terrible, como la Inquisición española o la llegada de Hindenburg. Malo para los humanos y para los duendes. Malo para todo el mundo.

Holly se dirigió directamente a las rampas. En su boca, por lo general parlanchina, llevaba dibujado el gesto de la determinación. Una oportunidad, la última. No permitiría que nada interrumpiese su concentración.

La cola habitual de quienes esperaban obtener un visado para ir de vacaciones llegaba hasta la esquina de la Plaza Elevador, pero Holly pasó delante de todos ellos exhibiendo su placa. Un gnomo malhumorado y agresivo se negó a abrirle paso.

–¿Por qué los de la PES siempre tenéis que colaros? ¿Qué tenéis de especial?

Holly inspiró hondo por la nariz. Cortesía ante todo.

–Se trata de un asunto policial, señor. Y ahora, si me permite...

El gnomo se rascó su trasero gigantesco.

–Me han dicho que los de la PES os inventáis eso de los asuntos policiales sólo para poder daros un baño de luz de luna. Eso es lo que me han dicho.

Holly trató de esbozar una sonrisa divertida, pero sus labios sólo consiguieron dibujar una mueca amarga.

—Pues el que le haya dicho eso es un idiota..., señor. Los de Reconocimiento sólo salimos a la superficie cuando es absolutamente necesario.

El gnomo frunció el ceño. Evidentemente, él mismo se había inventado aquel rumor y sospechaba que Holly acababa de llamarle idiota. Para cuando estuvo del todo convencido, la agente ya se había colado por las puertas dobles.

Potrillo la estaba esperando en Operaciones Especiales. Potrillo era un centauro paranoico convencido de que las agencias de inteligencia humanas espiaban sus redes de transporte y vigilancia. Para impedirles que le leyeran la mente, llevaba una gorra de papel de aluminio a todas horas.

Levantó la vista bruscamente al ver entrar a Holly por las puertas dobles neumáticas.

—¿Te ha visto alguien entrar aquí?

Holly reflexionó unos instantes.

—El FBI, la CIA, la DEA, el M16... ¡Ah! Y el TPE.

Potrillo frunció el entrecejo.

—¿El TPE?

—Todo el Personal del Edificio —se burló Holly.

Potrillo se levantó de la silla giratoria y se acercó a ella haciendo ruido con los cascos.

—Oh, qué graciosa eres, Canija... Es para mondarse de risa. Pensaba que lo de Hamburgo te habría bajado los humos. Yo que tú me concentraría en la misión que tenemos entre manos.

Holly se puso seria. Potrillo tenía razón.

—De acuerdo, Potrillo. Ponme al corriente.

El centauro señaló la imagen en directo del Eurosat, que se proyectaba sobre una enorme pantalla de plasma.

—Este punto rojo de aquí es el trol. Se dirige hacia Martina Franca, una ciudad fortificada cerca de Brindisi. Por lo que hemos podido averiguar, cayó en el ventilador E7. Estaba en fase de enfriamiento tras un lanzamiento a la superficie, por eso el trol no se ha achicharrado como una mosca en una parrilla.

Holly hizo una mueca de asco. «Qué agradable...», pensó.

—Por suerte, nuestro objetivo ha encontrado algo de comida por el camino. Ha estado masticando un par de vacas durante una hora o dos, así que hemos ganado algo de tiempo.

—¿Un par de vacas? —exclamó Holly—. Pero ¿cómo de grande es el tipo?

Potrillo se ajustó la gorra de aluminio.

—Es un trol gigante. Completamente desarrollado. Ciento ochenta kilos, con los colmillos de un jabalí. Un jabalí auténtico.

Holly tragó saliva. De repente, Reconocimiento le parecía un trabajo mucho mejor que el de Recuperación.

—Muy bien. ¿Qué tienes para mí?

Potrillo avanzó a medio galope hasta la mesa del equipo. Escogió lo que parecía un reloj de pulsera rectangular.

—Localizador. Tú le encuentras y nosotros te encontramos a ti. Una misión de rutina.

—¿Vídeo?

El centauro enganchó un pequeño cilindro en la ranura correspondiente del casco de Holly.

—Imagen en directo. Batería nuclear. Sin límite de tiempo. El micro se activa con la voz.

—Muy bien —respondió Holly—. Remo dijo que podía llevarme un arma esta vez. Sólo por si acaso.

—Ya contaba con eso —repuso el centauro. Cogió una pistola de platino del montón—. Una Neutrino 2000. El último modelo. Ni siquiera las pandillas de los túneles la tienen. Con tres posiciones, para tu información. Chamuscado, bien pasado y reducido a cenizas. La fuente de energía también es nuclear, así que dale duro. Esta preciosidad te sobrevivirá dos mil años.

Holly se colocó el arma en la sobaquera. No pesaba casi nada.

—Estoy lista..., creo.

—Lo dudo —se rió Potrillo—. Nadie está del todo listo para enfrentarse a un trol.

—Gracias por la inyección de confianza.

—La confianza es ignorancia —filosofó el centauro—. Si te crees valiente es porque hay algo que ignoras.

Holly estuvo a punto de rebatir sus palabras, pero no lo hizo. Tal vez fuese porque tenía la extraña sospecha de que Potrillo tenía razón.

Los elevadores de presión estaban propulsados por columnas gaseosas que salían del núcleo de la Tierra. Los técnicos de la PES, bajo la supervisión de Potrillo, habían diseñado unas naves de titanio capaces de navegar por las corrientes. Disponían de sus propios motores independientes, pero para un viaje directo a la superficie no había nada como la explosión de la energía mareomotriz.

Potrillo la condujo por una larga cola de plataformas de lanzamiento hasta el E7. La nave estaba aparcada en su plataforma de sujeción, con un aspecto demasiado frágil como para que pudiese despegar entre chorros de magma. La parte inferior estaba totalmente carbonizada y llena de agujeros de metralla.

El centauro le dio unas palmaditas cariñosas en el guardabarros.

—Esta maravilla tiene cincuenta años. Es el modelo más antiguo que nos queda en las rampas de lanzamiento.

Holly tragó saliva. Las plataformas de lanzamiento ya le ponían bastante nerviosa como para, encima, tener que subirse a aquella antigualla.

—¿Cuándo la vais a dar de baja?

Potrillo se rascó su barriga peluda.

—Tal y como estamos de presupuesto, no hasta que haya una baja mortal.

Holly hizo fuerza para abrir la pesada puerta y el sello de goma cedió dando un silbido. La nave no estaba diseñada para ser cómoda: apenas había espacio suficiente para un asiento minúsculo entre la maraña de aparatos electrónicos.

—¿Qué es eso? —preguntó Holly, señalando una mancha grisácea en el reposacabezas del asiento.

Potrillo empezó a agitarse, incómodo.

—Estooo... Fluido cerebral, creo. La cabina perdió un poco de presión en la última misión, pero ahora ya está todo arreglado. Y el agente sobrevivió. Perdió unos cuantos puntos de coeficiente de inteligencia, pero sigue con vida, y además puede ingerir líquidos.

—¡Caramba! ¡Qué buena noticia! —exclamó Holly con sorna mientras se abría paso por la amalgama de cables. Potrillo le colocó el arnés de seguridad y comprobó minuciosamente la sujeción.

—¿Estás lista?

Holly asintió con la cabeza.

Potrillo le dio unos golpecitos en el micrófono del casco.

—Estaremos en contacto —se despidió, cerrando la portezuela tras él.

«No pienses en eso —se dijo Holly—. No pienses en el fluido sofocante de magma que va a envolver esta nave diminuta de un momento a otro. No pienses en que vas a salir disparada a la superficie a toda velocidad con una fuerza de mach 2 capaz de revolverte el estómago. Y desde luego, no pienses en el trol zumbado y sanguinario que te espera ahí fuera dispuesto a destriparte con sus colmillos. No. No pienses en nada de eso...» Demasiado tarde.

La voz de Potrillo retumbó en su auricular.

—Faltan veinte segundos para el lanzamiento —anunció—. Estamos transmitiendo en una frecuencia segura en caso de que los Fangosos hayan puesto en marcha la escucha subterránea. Nunca se sabe. Un petrolero de Oriente Próximo interceptó una transmisión una vez. Fue un verdadero desastre.

Holly se ajustó el micrófono del casco.

—Concéntrate en el lanzamiento, Potrillo. Mi vida está en tus manos.

—Uy... Vale, lo siento. Vamos a utilizar el carril para dejarte en el eje principal del E7; habrá una explosión de un momento a otro. Eso te dejará pasados los primeros cien klicks; a partir de entonces volarás por tu cuenta.

Holly hizo un movimiento afirmativo con la cabeza y abrazó con los dedos las palancas de mando gemelas.

—Todos los sistemas comprobados. Ignición.

Se oyó un rugido al ponerse en marcha los motores de la aeronave. El diminuto aparato empezó a dar sacudidas en su plataforma de sujeción, haciendo que Holly se zarandease hasta acabar como un pato mareado. Apenas oía a Potrillo hablándole a través de los auriculares.

–Ahora estás en el eje secundario. Prepárate para volar, Canija.

Holly extrajo un cilindro de goma del salpicadero y se lo colocó entre los dientes. No servía de nada tener una radio si te tragabas la lengua. Activó las cámaras externas y encendió la pantalla.

La entrada del E7 se acercaba peligrosamente. El aire resplandecía bajo el brillo de la luz de aterrizaje. Unos chispazos incandescentes chisporroteaban en el eje secundario. Holly no oía el rugido, pero se lo imaginaba: un viento huracanado y estremecedor como el aullido de un millón de troles.

Se aferró con fuerza a las palancas de mando. La nave se estremeció hasta detenerse en el borde. La rampa se extendió por encima y por debajo. Gigantesca. Infinita. Como dejar caer una hormiga por el desagüe.

–¡Muy bien! –exclamó Potrillo, entusiasmado–. ¡Cuidado con el desayuno! No hay montaña rusa que valga comparada con esto...

Holly asintió. No podía hablar, no con la goma en la boca. El centauro la vería a través de la aerocámara de todos modos.

–*Sayonara*, cariño –dijo Potrillo, y acto seguido pulsó el botón.

La plataforma de sujeción de la nave se inclinó y dejó caer a Holly en el abismo. Su estómago se puso tenso mientras la fuerza de gravedad se apoderaba del aparato, arrastrando a Holly hacia el centro de la Tierra. El departamento de sismología tenía un millón de sondas ahí abajo, con un 99,8 por 100 de probabilidades de éxito en la predicción de erupciones de magma. Sin embargo, siempre cabía ese 0,2 por 100...

La caída le pareció una eternidad, y justo cuando ya estaba resignada a que nada pasara, la sintió. Una vibración inolvidable. La sensación de que, fuera de su pequeña cápsula, el mundo entero se estaba deshaciendo en pedazos. Ya viene.

—Alerones —dijo, escupiendo la palabra a través del cilindro.

Puede que Potrillo le hubiese contestado, pero ya no podía oírle. Holly ni siquiera se oía a sí misma, pero sí veía cómo se desplegaban los alerones de estabilización a través del monitor. La erupción la envolvió como un huracán, haciendo que la nave empezase a dar vueltas descontroladamente hasta que los alerones empezaron a funcionar. Unas rocas semifundidas apedrearon la parte inferior de la nave y la hicieron salir dando tumbos hasta las paredes de la rampa. Holly compensó el efecto tirando de las palancas de mandos.

Hacía un calor sofocante en el reducido espacio, suficiente para abrasar a un humano, pero los pulmones de los seres mágicos estaban hechos de una materia más resistente. La aceleración apresó su cuerpo con manos invisibles, estirando la carne de sus brazos y de su rostro. Holly se quitó un sudor salado de los ojos con un parpadeo y se concentró en el monitor. La erupción había sepultado la nave por completo, y además había sido una de aúpa, de fuerza siete como mínimo. Una buena circunferencia de quinientos metros. El magma de rayas anaranjadas giraba y silbaba a su alrededor, tratando de encontrar un punto débil en el armazón metálico.

La nave gimió y se quejó. Los remaches de cincuenta años amenazaban con reventar. Holly meneó la cabeza con gesto enfadado. Lo primero que haría a su vuelta sería darle un buen puntapié a Potrillo en su trasero peludo. Se sentía como una nuez en el interior de su cáscara, entre los molares de un gnomo. Una placa de proa emitió un chasquido y luego estalló como golpeada por un puño gigante. El piloto de la presión se encendió. Holly sintió como si alguien le estuviese exprimiendo el cerebro. Los ojos serían lo primero que saldría disparado, reventarían como moras maduras.

Comprobó los indicadores. Faltaban veinte segundos para salir de la erupción mareomotriz y echar a navegar siguiendo la corriente de las aguas termales. Los veinte segundos le parecieron siglos. Holly se ajustó el casco para protegerse los ojos y esquivó la última lluvia de rocas.

De repente, todo parecía despejado y la cápsula navegaba hacia arriba siguiendo las espirales de aire caliente que, en comparación con lo anterior, eran suavísimas. Holly añadió sus propias sacudidas con las palancas de mando a la fuerza impulsora. No había tiempo que perder flotando en el viento.

Por encima de su cabeza, un círculo de luces de neón indicaba la zona de acoplamiento. Holly viró en horizontal y apuntó a las luces de los nodos de acoplamiento. Se trataba de una operación delicada. Muchos pilotos de Reconocimiento habían llegado hasta ese punto, pero luego habían fallado la maniobra de aterrizaje y perdido un tiempo valiosísimo. Pero no Holly. Tenía un don innato. La primera de la academia.

Tiró de las palancas una última vez y avanzó los últimos cien metros. Utilizando los timones que había bajo sus pies, condujo la nave a través del círculo de luz hasta llevarla a su plataforma de sujeción en la zona de aterrizaje. Los nodos giraron, ajustándose en el interior de las guías. Acababa de aterrizar sana y salva.

Holly se dio un manotazo en el pecho para zafarse del arnés de seguridad. En cuanto el sello de la puerta se abrió, el aire dulzón de la superficie inundó la cabina. No había nada como aquella primera inhalación después de una propulsión. Inspiró hondo, expulsando de sus pulmones el aire viciado de la astronave. ¿Por qué se les ocurriría a las Criaturas dejar la superficie? A veces deseaba con toda su alma que sus ancestros se hubiesen quedado para luchar contra los Fangosos, pero eran muchos. A diferencia de los duendes, que sólo podían engendrar un niño cada veinte años, los Fangosos se multiplicaban como conejos. El número era aterrador incluso para los seres mágicos.

A pesar del placer que sentía al respirar el aire nocturno, Holly percibía restos de agentes contaminantes. Los Fangosos destruían todo cuanto tocaban sus manos. Por supuesto, ya no vivían en el barro. Al menos no en aquel país. No, ni hablar. Viviendas enormes y modernas con habitaciones para todo: habitaciones para dormir, habitaciones para comer..., ¡incluso una habitación para hacer sus necesidades! ¡Dentro de la casa! Holly sintió un escalofrío. Imagínate tener que ir al lavabo dentro de tu propia casa... ¡Qué asco! El único aspecto positivo de ir de vientre era que los minerales volvían a la tierra, pero los Fangosos habían conseguido estropear aquello también tratando la... porquería... con botes de productos químicos de color azul. Si alguien le hubiese dicho hace cien años que los humanos iban a eliminar la parte fértil de los fertilizantes, les habría dicho que se hiciesen unos agujeros de ventilación en el cráneo.

Holly descolgó unas cuantas alas de su soporte. Eran óvalos dobles con un motor metálico. Soltó un bufido de protesta: Libélulas. Odiaba aquel modelo. Con motor de gasolina, encima. ¡Y más pesadas que un cerdo lleno de barro! El Colibrí Z7, eso sí que era un transporte útil y elegante... Silencioso, con una batería solar de recarga por satélite capaz de llevarte a dar la vuelta al mundo dos veces. Sin embargo, otra vez había recortes de presupuesto.

En su muñeca, el localizador empezó a emitir pitidos. Estaba dentro del radio de alcance. Holly salió de la nave y se quedó de pie en el área de aterrizaje. Se hallaba en el interior de un montículo de tierra camuflado, vulgarmente conocido como un fuerte de los seres mágicos. De hecho, las Criaturas solían vivir en aquellos montículos hasta que los obligaron a trasladarse a zonas más subterráneas. No tenían demasiada tecnología; tan sólo unos cuantos monitores externos y un dispositivo de autrodestrucción por si alguien descubría el lugar.

Las pantallas estaban silenciosas. Todo parecía despejado. Las puertas neumáticas estaban ligeramente torcidas por donde había pasado el trol, pero, por lo demás, todo parecía en orden. Holly se sujetó las alas y salió al mundo exterior.

El cielo de la noche italiana era nítido y fresco, y olía a aceitunas y a vid. Se oía el canto de los grillos entre la hierba áspera y las palomillas revoloteaban bajo la luz de las estrellas. Holly no podía dejar de sonreír. Valía la pena el riesgo, cada minuto de él.

Hablando de riesgo... Comprobó la señal del localizador. El pitido era ahora mucho más fuerte. ¡El trol estaba a punto de llegar a las murallas de la ciudad! Ya tendría tiempo de apreciar la naturaleza cuando hubiese cumplido su objetivo. Había llegado el momento de pasar a la acción.

Holly arrancó el motor de las alas tirando del cable del estárter que había encima de su hombro. Nada. Empezaba a estar furiosa. Todos los niños mimados de Refugio tenían unas Colibrí para pasar sus vacaciones de verano, y en cambio, los agentes de la PES tenían que conformarse con unas alas de pacotilla que no funcionaban ni siquiera al estrenarlas. Tiró del cable otra vez y luego otra. A la tercera fue la vencida, y el aparato empezó a despedir una columna de humo y gases en la noche. Ya era hora, gruñó, poniendo el aparato a toda marcha. Las alas empezaron a batir hasta alcanzar un ritmo regular y, no sin mucho esfuerzo, levantaron a la capitana Holly Canija en el aire.

Aun sin la ayuda del localizador, habría sido fácil seguir al trol, pues había dejado una imponente estela de destrucción a su paso, similar a la que habría dejado una excavadora de túneles. Holly volaba a baja altura, sorteando bancos de neblina y árboles, siguiendo el recorrido del trol. La criatura enloquecida se había abierto camino a través de un viñedo, había hecho cisco un muro de piedra y dejado sin sentido a un perro guardián debajo de un seto. A continuación, Holly sobrevoló las vacas. No era un espectáculo hermoso. Sin entrar en detalles, diremos tan sólo que no quedaban demasiados restos, salvo cuernos y pezuñas.

La señal roja era ahora más intensa, y eso significaba que se estaba acercando. Ahora veía la ciudad debajo de ella, enclavada en lo alto de una colina baja, rodeada por una muralla almenada de la Edad Media. Las luces todavía estaban encendidas en la mayoría de las ventanas. Había llegado el momento de hacer un poco de magia.

Buena parte de los poderes mágicos atribuidos a las Criaturas son mera superstición, pero sí es cierto que poseen determinados poderes como la curación, el *encanta* y el uso de los escudos de protección, aunque llamarlos «escudos de protección» es una inexactitud. Lo que hacen los seres mágicos en realidad es vibrar a una frecuencia tan alta que nunca permanecen en un mismo sitio el tiempo suficiente para ser vistos. Puede que los humanos perciban un brillo tenue en el aire si prestan mucha atención −cosa que casi nunca hacen−, e incluso entonces, lo normal es que atribuyan el brillo a los efectos de la evaporación. Es muy típico de los Fangosos inventarse una explicación muy complicada para los fenómenos más sencillos.

Holly activó su escudo protector. Le costó más que de costumbre. Notó el esfuerzo en las perlas de sudor que le adornaron la frente. «Tengo que acabar el Ritual sin falta −pensó−. Cuanto antes, mejor.»

Un alboroto procedente de la ciudad interrumpió sus pensamientos. Era algo que no cuadraba con los ruidos habituales de la noche. Holly comprobó el estado de su mochila y se aproximó volando para observar más de cerca. «Sólo puedes mirar», se recordó a sí misma. Esa era su misión. Lanzaban a un agente de Reconocimiento por las rampas para localizar el objetivo mientras los chicos de Recuperación utilizaban una bonita y cómoda lanzadera.

El trol estaba justo debajo de ella, golpeando la muralla de la ciudad, que se estaba deshaciendo en pedazos entre sus poderosas garras. Holly reprimió un grito ahogado. ¡Aquel tipo era un monstruo! Grande como un elefante y diez veces más malo. Sin embargo, aquella bestia en particular era algo peor que malo: estaba asustado.

—Control —dijo Holly a través del micrófono—. Fugitivo localizado. Situación crítica.

El propio Remo estaba al otro lado de la línea de comunicación.

—Adelante, capitana.

Holly apuntó al trol con su videocámara.

—El fugitivo intenta atravesar la muralla de la ciudad. Contacto inminente. ¿A cuánto están los de Recuperación?

—Tiempo aproximado: cinco minutos como mínimo. Todavía estamos en la lanzadera.

Holly se mordió el labio. ¿Remo estaba en la lanzadera?

—Eso es demasiado tiempo, comandante. La ciudad entera va a explotar en diez segundos... Voy a entrar.

—Negativo, Holly..., capitana Canija. Nadie la ha invitado a entrar. Ya conoce la ley. Mantenga su posición.

—Pero comandante...

Remo la interrumpió.

—¡No! ¡No hay pero que valga, capitana! Mantenga su posición. ¡Es una orden!

El corazón le latía muy deprisa. Los gases de la gasolina le aturullaban el cerebro. ¿Qué podía hacer? ¿Cuál era la decisión correcta? ¿Salvar vidas u obedecer las órdenes?

Entonces el trol atravesó la muralla y la voz de un niño sonó en la noche.

—*Aiuto!* —gritó.

«Socorro.» Podía interpretarse como una invitación...

—Lo siento, comandante. El trol está fuera de sí y hay niños ahí dentro.

Se imaginaba el rostro de Remo, rojo de ira mientras se abalanzaba sobre el micrófono.

⏃⏃ · ⎍⏃⏃⏃ · ⏃ · ⏃⊙⏃⏃⏃ ⏃⎍⏁ ⬥ · ⏃⏃⏃

—¡Haré que te expulsen del cuerpo, Canija! ¡Pasarás los próximos cien años limpiando alcantarillas!

Pero fue inútil. Holly había desconectado su micrófono y descendido en picado para detener al trol.

Estirando al máximo su cuerpo, la capitana Canija se metió por el boquete. Parecía estar en el interior de un restaurante. Un restaurante repleto de gente. La luz eléctrica había cegado al trol momentáneamente, que estaba dando manotazos en el centro de la sala.

Los clientes estaban patidifusos. Incluso la queja del niño se había apagado. Todos estaban sentados boquiabiertos, con sus gorros de fiesta cómicamente ladeados en la cabeza. Los camareros se habían quedado paralizados, con unas enormes bandejas de pasta temblando encima de sus dedos abiertos. Unos niños italianos regordetes se tapaban los ojos con dedos regordetes. Siempre era así al principio: el silencio horrorizado. Luego venían los gritos.

Una botella de vino se estrelló contra el suelo. Rompió el hechizo. Empezó el caos. Holly hizo un gesto de dolor. Los troles odiaban el ruido casi tanto como la luz.

El trol levantó unos hombros inmensos y sacó sus garras retráctiles con un chirrido que ponía los pelos de punta. Era el clásico comportamiento de un depredador. La bestia estaba a punto de atacar.

Holly desenfundó su arma y colocó el percutor en su segunda posición. No podía matar al trol bajo ninguna circunstancia —no para salvar a humanos—, pero sí podía dejarlo inconsciente hasta que llegasen los de Recuperación.

Apuntando a su punto débil en la base del cráneo, la agente disparó sobre el trol una larga ráfaga del rayo de ión concentrado. La bestia se tambaleó, tropezó unas cuantas veces y luego se puso furiosa.

«No pasa nada —se dijo Holly—. Llevo el escudo protector. Soy invisible. Para los presentes, parecerá como si el rayo azul hubiese salido de la nada.»

El trol empezó a dar vueltas a su alrededor, meneando sus rizos cubiertos de barro como mecidos por el viento.

«Que no cunda el pánico. No puede verme.»

El trol levantó una mesa.

«Invisible. Totalmente invisible.»

Echó hacia atrás un brazo greñudo para tomar impulso y luego soltó la mesa.

Sólo un tenue brillo en el aire.

La mesa volaba por los aires directamente hacia su cabeza.

Holly se movió. Un segundo demasiado tarde: la mesa golpeó su mochila y arrancó de cuajo el depósito de gasolina, que salió disparado por los aires dejando un rastro de líquido inflamable.

En los restaurantes italianos —todo el mundo lo sabe— hay velas por doquier. El depósito chocó justo contra un elaborado candelabro, que estalló en llamas como un cohete mortal. La mayor parte de la gasolina cayó sobre el trol. Y también Holly.

El trol podía verla, de eso no había ninguna duda. La miraba entrecerrando los ojos bajo la luz odiosa; en su frente, un rictus de dolor y miedo. Su escudo protector había desaparecido. No le quedaba ni un gramo de magia.

Holly se retorció en las garras del trol, pero era inútil; los dedos de la criatura eran del tamaño de plátanos, pero en absoluto igual de maleables. Le apretaban la caja torácica con una facilidad pasmosa, hasta dejarla sin respiración. Unas zarpas como agujas rascaban el material endurecido de su uniforme. En cualquier momento traspasarían el material y sería el fin.

Holly no podía pensar. En el restaurante reinaba el caos más absoluto. El trol estaba haciendo rechinar sus colmillos, y sus molares grasientos intentaban arrancarle el casco de cuajo. A Holly le llegaba el aliento fétido del monstruo a través de sus filtros. También olía el hedor a pelo chamuscado a medida que el fuego se propagaba por el lomo del trol.

La lengua verde de la bestia raspó la visera de Holly e hizo desaparecer la sección inferior de esta. ¡La visera! Era el fin. Su única posibilidad. Holly consiguió hacer llegar la mano que tenía libre hasta los controles del casco. Las luces de túnel. Haces de luz de máximo alcance.

Apretó el botón hundido y ochocientos vatios de luz sin filtro alguno se proyectaron desde los reflectores gemelos que llevaba encima de los ojos.

El trol se encabritó de nuevo, emitiendo un agudo chillido a través de las hileras de dientes. Montones de vasos y botellas se hicieron añicos donde estaban ellos dos. Era demasiado para el pobre animal. Aturdido primero, luego quemado vivo y ahora cegado. El *shock* y el dolor se abrieron paso hasta su minúsculo cerebro y le ordenaron que se detuviese. El trol obedeció, desplomándose con una rigidez casi cómica. Holly se apartó rodando sobre el suelo para esquivar la guadaña de uno de sus colmillos.

Se hizo un silencio absoluto, salvo por el tintineo del cristal bajo el peso de la bestia, el chisporroteo de su piel y una última exhalación. Holly se levantó sin dejar de temblar. Había muchos ojos siguiendo sus movimientos: ojos humanos. Era visible al ciento por ciento. Y esos humanos no se quedarían satisfechos mucho rato. Aquella raza nunca lo hacía. La contención era la clave.

Levantó las manos vacías en son de paz.

—*Scusatemi tutti* —dijo, en un idioma que fluía con facilidad de su boca.

Los italianos, tan educados como siempre, le contestaron que no tenía por qué disculparse.

Holly se metió la mano en el bolsillo muy despacio y extrajo una pequeña esfera. La colocó en el centro del suelo.

—*Guardate* —anunció. «Mirad.»

Los clientes del restaurante la obedecieron, inclinándose hacia delante para ver la pequeña bola plateada. Estaba haciendo tictac, cada vez más rápido, casi como en una cuenta atrás. Holly le dio la espalda a la esfera. Tres, dos, uno...

¡Pum! ¡Flash! Inconsciencia general. No era nada mortal, pero todos tendrían dolor de cabeza al cabo de cuarenta minutos. Holly lanzó un suspiro. Estaba a salvo. De momento. Echó a correr hacia la puerta y cerró el pestillo. Ahora nadie podría entrar ni salir, salvo a través del inmenso boquete de la pared. A continuación roció sobre el trol —que seguía ardiendo— el contenido del extintor de incendios del restaurante, esperando que la sustancia helada no reavivase a la bestia durmiente.

Holly examinó el jaleo que había armado a su alrededor. No había duda, todo estaba patas arriba y era un caos absoluto. Peor que lo de Hamburgo... Remo la despellejaría viva; prefería mil veces enfrentarse de nuevo al trol. Aquel era el fin de su carrera, eso seguro, pero de repente eso no le parecía tan importante porque le dolían las costillas y acababa de sufrir un aviso de migraña inminente, provocada por la tensión. Tal vez necesitara descansar, sólo un segundo, antes de que llegaran los de Recuperación.

Holly ni siquiera se molestó en buscar una silla. Se limitó a dejar que se le doblaran las rodillas y se desplomó sobre el suelo ajedrezado de linóleo.

Despertarse ante los prominentes rasgos faciales del comandante Remo es el colmo de las pesadillas. Los ojos de Holly empezaron a parpadear, y por un segundo habría jurado que había preocupación en aquellos otros ojos, pero justo entonces la preocupación desapareció y dio paso a la furia incontenible de siempre.

—¡Capitana Canija! —bramó el comandante, haciendo caso omiso de su migraña—. ¿Qué narices ha pasado aquí?

Holly se puso de pie con aire tembloroso.

—Yo... Es que... Verá... —No le salían las frases, sencillamente.

—Has desobedecido una orden directa. ¡Te dije que te mantuvieras en tu posición! Sabes que está prohibido entrar en un edificio humano sin una invitación.

Holly sacudió la cabeza para despejar las sombras de su visión.

—Me invitaron. Un niño gritó pidiendo ayuda.

—Pisas terreno peligroso, Canija.

—Existe un precedente, señor. El cabo Rowe contra el Estado. El jurado dictaminó que el grito de socorro de la mujer atrapada podía aceptarse como invitación para entrar en el edificio. Además, todos ustedes están aquí. Eso significa que también han aceptado la invitación.

–Hum… –murmuró Remo con recelo–. Supongo que has tenido suerte. Las cosas podrían haber salido mucho peor.

Holly miró a su alrededor. Las cosas no podían haber salido mucho peor. El establecimiento estaba completamente destrozado y había cuarenta humanos fuera de combate. Los chicos del departamento técnico estaban colocando electrodos de limpieza de memoria en las sienes de los comensales inconscientes.

–Hemos conseguido garantizar la seguridad de la zona, pese a que media ciudad ha estado golpeando la puerta.

–¿Y qué me dice del boquete?

Remo lanzó una sonrisita de suficiencia.

–Compruébalo por ti misma.

Holly miró hacia el agujero. Los de Recuperación habían enchufado un cable de holograma en los enchufes de la electricidad ya existentes y estaban proyectando una pared intacta sobre el boquete. Los hologramas resultaban útiles como parches, pero a la larga no daban muy buen resultado. Cualquiera que examinase la pared con detenimiento se daría cuenta de que el parche ligeramente transparente era igualito que el tramo de pared que había junto a él. En este caso había dos parches idénticos de grietas con telarañas, así como dos reproducciones de un mismo Rembrandt. Sin embargo, la gente del interior de la pizzería no estaba en condiciones de inspeccionar paredes y, para cuando se despertasen, la pared ya habría sido reparada por el departamento telecinético y la totalidad de la experiencia paranormal habría sido eliminada de sus memorias.

Un agente de Recuperación apareció por la puerta del cuarto de baño.

—¡Comandante!

—¿Sí, sargento?

—Hay un humano aquí dentro, señor. El Conmocionador no lo alcanzó. Vendrá de un momento a otro, señor. ¡Ya llega, señor!

—¡Escudos! —gritó Remo—. ¡Todo el mundo!

Holly lo intentó. Con todas sus fuerzas. Pero fue inútil. Se le había acabado la magia. Un crío de unos dos años de edad salió caminando a trompicones del cuarto de baño con los ojos llorosos de sueño. Extendió un dedo rechoncho para señalar directamente a Holly.

—*Ciao, fulletta* —dijo, antes de encaramarse en el regazo de su padre para continuar durmiendo.

Remo regresó al espectro visible. Estaba —si es que eso era posible— aún más enfadado que antes.

—¿Qué le ha pasado a tu escudo, Canija?

Holly tragó saliva.

—Estrés, comandante —intentó excusarse con tono esperanzado.

Remo no se iba a tragar aquello.

—Me has mentido, capitana. No estás a tope de magia, ¿verdad que no?

Holly negó con la cabeza sin pronunciar palabra.

—¿Cuánto hace que no realizas el Ritual?

Holly empezó a mordisquearse el labio.

—Si no me equivoco..., yo diría... que unos cuatro años, señor.

A Remo por poco le estalla una de las venas de las sienes.

—¿Cua... cuatro años has dicho? ¡Es un milagro que hayas durado tanto! Hazlo ahora. ¡Esta noche! No volverás al mundo subterráneo sin tus poderes. ¡Eres un peligro para ti misma y para tus compañeros!

—Sí, señor.

—Que los de Recuperación te den un par de alas Colibrí y paséate volando por el viejo continente. Esta noche hay luna llena.

—Sí, señor.

—Y no creas que me he olvidado de todo este caos. Hablaremos de ello cuando vuelvas.

—Sí, señor. Muy bien, señor.

Holly se volvió para marcharse, pero Remo carraspeó para reclamar su atención.

—Ah, capitana Canija...

—¿Sí, señor?

El rostro de Remo había perdido su tono púrpura y casi parecía un poco avergonzado.

—Buen trabajo, me refiero a que has salvado la vida de esos humanos. Podría haber sido peor, mucho peor.

Holly esbozó una sonrisa radiante detrás de la visera. Tal vez no la expulsaran de Reconocimiento después de todo.

—Gracias, señor.

Remo soltó un gruñido y su cara recuperó su habitual color rojizo.

—¡Y ahora largo de aquí, y no vuelvas hasta que la magia te salga por la punta de las orejas!

Holly lanzó un suspiro. Para que luego digan que hay que ser agradecida.

—Sí, señor. En eso estoy, señor.

CAPÍTULO IV: **EL SECUESTRO**

 EL PROBLEMA principal de Artemis era una cuestión de localización: cómo encontrar a un duende. Y en este caso se trataba de una panda de duendes muy astutos; llevaban en el mundo sabe Dios cuántos milenios y no había ni una sola fotografía, ni una imagen en vídeo. Ni siquiera habían protagonizado un fraude parecido al del lago Ness. No eran lo que se dice un grupo demasiado sociable. Y además, eran muy listos. Nadie le había echado nunca el guante al oro de los seres mágicos, pero nadie había conseguido nunca tampoco el Libro, y los rompecabezas eran muy fáciles de resolver una vez tenías la clave.

Artemis había convocado a los Mayordomo en su estudio y ahora les hablaba desde detrás de un miniatril.

–Hay ciertos rituales que los duendes deben completar para renovar sus poderes mágicos –les explicó Artemis.

Mayordomo y Juliet asintieron con la cabeza, como si aquella fuese una lección magistral de lo más corriente.

Artemis hojeó las páginas de su ejemplar del Libro y seleccionó un párrafo:

De la Tierra fluye tu poder,
un don que has de merecer.
Y para ello deberás arrancar la mágica semilla,
donde la luna llena, el roble añejo y el agua se dan cita.
Y entiérrala lejos de su lugar de origen,
para devolver tu don a quienes rigen.

Artemis cerró el texto.

—¿Lo veis?

Mayordomo y Juliet siguieron asintiendo con la cabeza sin que la expresión de profundo desconcierto desapareciese de sus rostros.

Artemis lanzó un suspiro.

—Los duendes están limitados por ciertos rituales. Unos rituales muy específicos, si me permitís añadir. Podemos utilizarlos para localizar a uno de ellos.

Juliet levantó la mano, a pesar de que era cuatro años mayor que Artemis.

—¿Sí?

—Bueno, verás, Artemis... Hay algo que no acabo de entender... —empezó a decir en tono vacilante al tiempo que se enroscaba un rizo dorado entre los dedos de una manera que muchos de los patanes locales consideraban harto seductora—. La parte de los duendes.

Artemis frunció el ceño. Era una mala señal.

—¿Qué quieres decir, Juliet?

—Verás, los duendes... Sabes que no son seres reales, ¿verdad?

Mayordomo se estremeció. Era culpa suya, en realidad. Nunca había llegado a informar del todo a su hermana acerca de los parámetros de la misión.

⊗ ⏾ ⏾ ⏾ ⏾ ⟲ ⇀ · ⟲ ⊗ · ⊗ ⏾ ⏾ · ⊙ ⏃ ⏃ · ⏃ ⏃ ⏃

Artemis lo miró con aire reprobador.

—¿Mayordomo no te ha hablado de esto todavía?

—No. ¿Tenía que haberlo hecho?

—Sí, por supuesto que sí. Tal vez temía que te burlases de él.

Mayordomo se retorció con gesto avergonzado. Eso era exactamente lo que temía. Juliet era la única persona viva que se burlaba de él con una regularidad vergonzosa. La mayoría de las demás personas lo hacían sólo una vez. Sólo una.

Artemis se aclaró la garganta.

—Sigamos, suponiendo que los seres mágicos existen y que no soy ningún tarado mental.

Mayordomo asintió débilmente. Juliet no estaba del todo convencida.

—Muy bien. Y ahora, como iba diciendo, las Criaturas tienen que llevar a cabo un ritual específico para renovar sus poderes. De acuerdo con mi interpretación, deben recoger una semilla de un roble añejo junto a la orilla de un río. Y deben hacerlo durante la luna llena.

Un brillo de perspicacia empezó a asomar a los ojos de Mayordomo.

—Así que lo único que tenemos que hacer es...

—Es introducir una referencia cruzada en los satélites meteorológicos, cosa que ya he hecho. Aunque parezca mentira, no quedan tantos robles añejos, si consideráis añejo un roble de más de cien años. Si incorporamos la orilla de un río y la luna llena, existen exactamente ciento veintinueve sitios que inspeccionar en este país.

Mayordomo esbozó una sonrisa radiante. Operación de vigilancia. Ahora era cuando el amo estaba hablando en su idioma.

◊ℛ ·)ß · ◊ ℛ𝒰ℛ✦ · ℛ · 𝟠ℛℛ𝒰 · 𝒰◊Θℛ✦)

—Tenemos que hacer unos cuantos preparativos para la llegada de nuestro huésped —dijo Artemis, entregando una hoja de DIN-A4 mecanografiada a Juliet—. Tenemos que realizar las siguientes alteraciones en el sótano. Sigue todas las instrucciones, Juliet. Al pie de la letra.

—Sí, Arty.

Artemis frunció el ceño, pero sólo un poco. Por razones que no alcanzaba a comprender del todo, no le molestaba demasiado el que Juliet le llamase por el apodo cariñoso con que su madre se dirigía a él.

Mayordomo se rascó la barbilla con aire pensativo. Artemis advirtió el gesto.

—¿Alguna pregunta?

—Bueno, Artemis. La duendecilla de Ciudad Ho Chi Minh...

Artemis asintió con la cabeza.

—Ya lo sé. ¿Por qué no la secuestramos a ella y ya está?

—Sí, señor.

—Según consta en el Anuario de las criaturas de Chi Lun, un manuscrito del siglo VII recuperado de la ciudad perdida de Sh'shamo: «Una vez que un ser mágico ha tomado bebidas alcohólicas con los Fangosos —que somos nosotros, por cierto—, están muertos para siempre para sus hermanos y hermanas». De modo que no existe ninguna garantía de que esa duende en particular valiese ni siquiera una onza de oro. No, amigo mío, necesitamos carne fresca, ¿entendido?

Mayordomo hizo un gesto afirmativo.

—Bien. Y ahora, hay varias cosas que tendréis que procuraros para nuestras excursiones a la luz de la luna —prosiguió Artemis.

Mayordomo examinó la hoja: equipo básico de trabajo, unos cuantos objetos insólitos, nada demasiado desconcertante salvo...

—¿Gafas de sol? ¿De noche?

Cuando Artemis sonreía, como acababa de hacer ahora, uno casi esperaba que le salieran colmillos de vampiro de las encías.

—Sí, Mayordomo. Gafas de sol. Confía en mí.

Y Mayordomo lo hacía. Incondicionalmente.

Holly activó el dispositivo térmico de su traje y ascendió hasta los cuatro mil metros. Las alas Colibrí eran lo mejor de la gama. La lectura de la batería mostraba cuatro barras rojas, más que suficiente para una excursión rápida a través de la Europa continental hasta las islas británicas. Por supuesto, el reglamento aconsejaba sobrevolar siempre por encima del agua si era posible, pero Holly nunca podía resistir la tentación de tocar el pico nevado más alto en su camino.

El traje protegía a Holly de las peores condiciones climáticas, pero aún podía percibir cómo aquel aire helado le calaba los huesos. La luna parecía enorme desde aquella altura, y los cráteres de su superficie se distinguían fácilmente. Aquella noche era una esfera perfecta. Una luna llena mágica. Los de Inmigración probablemente andarían ocupadísimos, pues miles de duendes locos por salir a la superficie se verían atraídos irresistiblemente hacia el exterior. Un gran porcentaje lo conseguiría, y lo más probable es que provocasen un auténtico caos con su rebeldía. El manto terrestre estaba lleno de túneles ilegales, y era imposible vigilarlos todos.

Holly siguió la costa italiana en sentido ascendente hasta Mónaco, y desde allí atravesó los Alpes hasta llegar a Francia.

Le encantaba volar; a todos los duendes les encantaba. Según el Libro, en tiempos remotos habían estado equipados con sus propias alas, pero la evolución se había encargado de arrancarles ese poder. A todos excepto a los duendecillos. Había una escuela de pensamiento en particular que sostenía que las Criaturas eran descendientes directos de una familia de dinosaurios alados que se desplazaban volando por los aires, posiblemente pterodáctilos. Buena parte de la estructura del esqueleto superior era exactamente igual. Esta teoría explicaría sin duda el diminuto fragmento de hueso que les sobresalía de cada uno de los omoplatos.

Holly fantaseó con la idea de visitar Disneyland París. La PES tenía varios agentes infiltrados allí, y la mayoría de ellos trabajaban en la atracción de Blancanieves. Era uno de los pocos lugares de la Tierra en que las Criaturas podían pasar inadvertidas, pero si algún turista le sacaba una foto y esta se divulgaba por Internet, Remo le quitaría la placa sin pestañear. Dando un suspiro de pena, sobrevoló la lluvia multicolor de fuegos artificiales que tenía lugar más abajo.

Una vez que hubo atravesado el Canal de La Mancha, Holly empezó a descender y a dar brincos por la cresta de espuma de las olas. Llamó a los delfines y estos emergieron a la superficie, saltando en el agua para alcanzarla. Advirtió los efectos de la contaminación en ellos, que desteñía sus pieles blancas y les hacía heridas rojas en el lomo, y aunque seguía sonriendo, el corazón se le estaba rompiendo en mil pedazos. Los Fangosos tenían que rendir cuentas de muchas cosas.

Al final, la costa británica apareció ante sus ojos. El país ancestral. Éiriú, la tierra donde empezó el tiempo. El lugar más mágico del planeta. Había sido allí, hacía diez mil años, donde la antigua raza de seres mágicos, los Dé Danann, había luchado contra los demonios Fomorianos y había creado el famoso Paso del Gigante con la fuerza de sus explosiones mágicas. Allí estaba la Lia Fáil, la roca del centro del universo, donde los reyes mágicos y más adelante el humano Ard Rí habían sido coronados. Y también era allí, por desgracia, donde los Fangosos estaban más en sintonía con la magia que en cualquier otra parte del planeta, lo cual tenía como consecuencia una tasa de incidencia mucho más elevada en cuanto al número de ocasiones en que las Criaturas podían ser vistas. Por fortuna, el resto del mundo daba por sentado que los irlandeses estaban todos chiflados, una teoría que los propios irlandeses no hacían nada por rebatir. De forma inexplicable, se les había metido en la cabeza que todos los duendes llevaban consigo un caldero de oro dondequiera que fuesen. Si bien era cierto que la PES contaba con un fondo especial para rescates –por el plus de peligrosidad de sus agentes–, ningún humano había conseguido nunca ver ni una sola moneda. Aquello no impedía a la población irlandesa en general merodear por todos los arco iris con la esperanza de ganar la lotería sobrenatural.

Pero a pesar de todo eso, si existía una raza por la cual las Criaturas sentían cierta afinidad, esa era la irlandesa. Tal vez fuese por su excentricidad, o por su dedicación al *craic*, tal como ellos lo llamaban; pero además, si las Criaturas estaban en verdad emparentadas con los humanos, tal como sostenía otra teoría, lo más probable es que hubiese sido en la isla Esmeralda donde había comenzado su historia.

Holly presionó unas teclas de su localizador de pulsera para obtener un mapa y lo programó para que rastrease los puntos mágicos de la zona. El mejor lugar, obviamente, sería Tara, en las cercanías de la Lia Fáil, pero en una noche como aquella, todos los duendes tradicionalistas con un pase para salir al mundo exterior estarían bailando alrededor del escenario sagrado, así que sería mejor evitarlo.

Había un lugar secundario no muy lejos de allí, a escasa distancia de la costa Sudoriental. Disponía de un fácil acceso desde el aire, pero era un lugar remoto y lúgubre para los gustos humanos. Holly frenó el acelerador y descendió hasta los ochenta metros. Pasó dando saltitos por encima de un frondoso bosque de árboles de hoja perenne y apareció en un prado iluminado por la luna. Un hilillo plateado de agua dividía el campo en dos y allí, acurrucado en el pliegue de un recodo del río, se erguía el roble orgulloso.

Holly consultó el localizador para comprobar la presencia de formas de vida. Una vez que hubo decidido que la vaca que se encontraba pastando dos campos más arriba no suponía una amenaza, detuvo los motores y se deslizó hasta el pie del poderoso árbol.

Cuatro meses de vigilancia. Incluso Mayordomo, el profesional consumado, estaba empezando a temer las largas noches de humedad y picaduras de insectos. Por suerte, no había luna llena todas las noches.

Siempre era lo mismo. Se agachaban en su escondite recubierto de papel de aluminio en completo silencio; Mayordomo comprobaba repetidas veces el equipo y, mientras tanto, Artemis miraba sin pestañear a través del ojo del aparato de alcance. En ocasiones como esta, la naturaleza parecía ensordecedora en aquel espacio reducido. Mayordomo se moría de

ganas de silbar, de iniciar una conversación..., cualquier cosa
con tal de romper el forzado silencio. Sin embargo, la concentración de Artemis era absoluta. No permitiría ninguna
interferencia ni error de concentración. Los negocios eran los
negocios.

Aquella noche estaban en el Sudeste. El lugar más inacce-
sible de todos. Mayordomo había tenido que hacer tres viajes al todoterreno para cargar con el equipo a través de los
escalones de un terreno cercado, una ciénaga y dos prados.
Tenía las botas y los pantalones destrozados y ahora no le
quedaría más remedio que permanecer sentado en su escondite con el trasero empapado por el agua del lodazal. Artemis, inexplicablemente, se las había arreglado para no ensu-
ciarse en absoluto.

El escondite contaba con un ingenioso diseño y algunas
personas ya habían manifestado su interés por los derechos de
fabricación, sobre todo representantes militares, pero Artemis
había decidido vender la patente a una multinacional de ar-
tículos de deporte. Estaba hecho de un polímero metálico
elastizado sobre un esqueleto de fibra de vidrio con múltiples
bisagras. La lámina metálica, similar a la utilizada por la
NASA, conservaba el calor en el interior de la estructura al
tiempo que impedía el recalentamiento de la superficie exterior camuflada. De este modo, garantizaba que cualesquiera
animales sensibles al calor no se percatasen de su presencia.
Las bisagras conseguían que el escondite se desplazase casi
como un líquido, rellenando cualquier depresión al que fuese arrojado. Un refugio instantáneo y una posición estratégi-
ca al mismo tiempo. Sólo había que colocar la bolsa cerrada
con velcro en un hoyo y tirar de la cuerda.

Sin embargo, ni con toda la tecnología y la inteligencia del mundo se podía mejorar el ambiente que se respiraba. Había algo que preocupaba a Artemis. Saltaba a la vista en la telaraña de arrugas prematuras que surcaban los ángulos de sus ojos azul oscuro.

Después de varias noches de vigilancia infructuosa, Mayordomo hizo acopio del coraje suficiente para hacerle una pregunta.

—Artemis —empezó a decir en tono titubeante—, a lo mejor me meto donde no me llaman, pero sé que algo va mal. Y si puedo hacer cualquier cosa para ayudar...

Artemis permaneció en silencio durante varios minutos, y durante ese rato, Mayordomo vio el rostro de un niño. El niño que Artemis podía haber sido.

—Se trata de mi madre, Mayordomo —dijo al fin—. Empiezo a tener serias dudas de que algún día...

Acto seguido, el piloto rojo de la alarma de proximidad empezó a parpadear.

Holly colgó las alas en una rama baja y se desabrochó el casco para poder airearse las orejas. Había que tener mucho cuidado con las orejas de una elfa: unas cuantas horas dentro del casco y empezaban a escamarse. Se dio un masaje en las puntas. Allí no tenía la piel seca, y eso era porque las sometía a un tratamiento hidratante diario, no como algunos de los agentes masculinos de la PES. Cada vez que se quitaban el casco, jurarías que había empezado a nevar.

Holly se detuvo un momento para admirar el paisaje. Irlanda era verdaderamente pintoresca. Ni siquiera los Fangosos habían logrado destruirla. Bueno, no de momento, pero espera otro siglo o dos... El río zigzagueaba con suavidad ante ella como una serpiente plateada, silbando mientras el agua fluía a través de un lecho de piedra. El roble crujía por encima de su cabeza, y sus ramas se rozaban unas con otras haciendo un ruido áspero entre la brisa vigorizante.

Y ahora, manos a la obra. Ya tendría tiempo de hacer de turista toda la noche una vez que hubiese terminado su cometido. Una semilla. Necesitaba una semilla. Holly se agachó en el suelo y apartó las hojas y las ramas secas de la superficie arcillosa. Tomó en sus manos una bellota suave. Bueno, no había sido tan difícil, ¿no? Ahora, lo único que tenía que hacer era plantarla en otro sitio y recuperaría sus poderes en un periquete.

Mayordomo comprobó el portarradar y apagó el volumen por si el equipo delataba su posición. El brazo rojo barrió la pantalla con desesperante parsimonia y entonces... ¡flas! Una figura en posición vertical junto al árbol. Demasiado pequeña para tratarse de un adulto y con las proporciones inadecuadas para un niño. Le hizo a Artemis una señal afirmativa. Un posible acierto.

Artemis asintió al tiempo que se colocaba las gafas de sol de espejo. Mayordomo hizo lo propio, quitando el tapón del punto de mira estelar de su arma. Aquel no era un rifle de dardos ordinario: había sido diseñado especialmente para un cazador de marfil keniano y tenía el alcance y la capacidad de fuego rápido de un Kalashnikov. Mayordomo lo había conseguido por una bicoca de manos de un agente del gobierno después de la ejecución del cazador furtivo.

Se adentraron sigilosamente en la noche sin hacer ningún ruido y con movimiento experto. La diminuta figura que tenían ante ellos se descolgó un artilugio de los hombros y retiró un casco integral de una cabeza que, definitivamente, no era humana. Mayordomo se enrolló la correa del rifle dos veces alrededor de la muñeca y apoyó la culata en su hombro. Activó el punto de mira y un punto rojo apareció en el centro de la espalda de la figura. Artemis asintió y su sirviente apretó el gatillo.

Pese a que las probabilidades eran de una entre un millón, en ese preciso instante la figura se agachó en el suelo.

Algo pasó silbando por encima de la cabeza de Holly, algo que brilló bajo la luz de las estrellas. Holly tenía suficiente experiencia en su trabajo para darse cuenta de que estaban disparando contra ella, e inmediatamente hizo un ovillo con su cuerpo de elfa, reduciendo así el tamaño del objetivo.

Sacó su pistola y fue rodando en busca de refugio hasta el tronco de un árbol. Su cerebro se afanaba trabajosamente por buscar posibles opciones. ¿Quién le estaría disparando y por qué?

Había algo junto al árbol. Algo en nada equiparable al tamaño de una montaña, pero considerablemente más móvil.

—¡Bonita cerbatana! —exclamó la figura al tiempo que apretaba la mano a Holly para quitarle el arma con un puño del tamaño de un nabo. Holly consiguió sacar los dedos de aquel puño antes de que se le partiesen como espaguetis crudos.

—Supongo que no cabe contar con la posibilidad de una rendición pacífica, ¿verdad? —dijo una voz fría a sus espaldas. Holly se volvió con los codos en alto, lista para el combate—. No —continuó el chico en tono melodramático—, supongo que no.

Holly intentó hacerse la valiente.

–Quieto, humano. No sabes con quién te las vas a tener.

El chico se echó a reír.

–Creo, duende, que eres tú la que no lo sabe.

¿Duende? Sabía que era una duende.

–Tengo magia, gusano del barro. La suficiente para convertirte a ti y a ese gorila tuyo en caca de cerdo.

El chico dio un paso al frente, acercándose más a ella.

–Valientes palabras, señorita, pero mentiras al fin y al cabo. Si, como dices, tuvieses magia, sin duda ya la habrías usado. No, sospecho que has dejado pasar demasiado tiempo sin completar el Ritual y estás aquí para renovar tus poderes.

Holly se quedó perpleja. Había un humano delante de ella revelando secretos sagrados como si tal cosa. Aquello era desastroso. Una auténtica catástrofe. Significaría el fin de milenios de paz. Si los humanos conocían la subcultura de los seres mágicos, sólo era cuestión de tiempo el que ambas especies entraran en guerra. Tenía que hacer algo, y sólo le quedaba un arma en su arsenal.

El *encanta* es la forma más sencilla de magia y sólo requiere una pizca de poderes mágicos. Existen incluso algunos humanos con facilidad para desarrollar ese don en particular. La capacidad de bloquear la mente de cualquier humano vivo está al alcance de cualquier duende, aun del más débil de todos.

Holly echó mano de la última gota de magia que le quedaba en la base del cráneo.

–Humano –entonó con una voz que de repente resonaba con tonos graves–, tu voluntad es mía.

Artemis sonrió, a salvo detrás de sus gafas de espejo.

—Lo dudo —contestó al tiempo que asentía de manera cortante.

Holly sintió cómo el dardo atravesaba la tela rígida de su traje y depositaba el tranquilizante con base de cloruro de succinilcolino y curare en su hombro. El mundo se disolvió inmediatamente en una serie de burbujas en tecnicolor y, pese a todo su empeño, Holly sólo consiguió fijar un pensamiento en su cabeza, y ese pensamiento era: «¿Cómo lo han sabido?». La pregunta daba vueltas en espiral en el interior de su cerebro mientras Holly iba perdiendo el conocimiento. «¿Cómo lo han sabido? ¿Cómo lo han sabido? ¿Cómo lo han...?»

Artemis vio el dolor reflejado en los ojos de aquella criatura mientras la aguja hipodérmica se iba vaciando en su cuerpo y, por un momento, experimentó ciertas dudas. Una mujer. No había contado con esa posibilidad. Una mujer, como Juliet o como su madre. Luego, el momento pasó y volvió a ser él mismo de nuevo.

—Buen disparo —dijo al tiempo que se inclinaba para examinar a su prisionera. Definitivamente, era una chica. Y guapa, además. A su puntiaguda manera.

—¿Señor?

—¿Hum?

Mayordomo estaba señalando el casco de la criatura. Estaba semienterrado en un montoncillo de hojas donde la duende lo había dejado. Se oía una especie de zumbido procedente de la parte superior.

—Ah, vaya, vaya... —Arrancó la cámara en miniatura de su sitio con cuidado de apuntar con el objetivo lejos de sí—. Tecnología subterránea. Impresionante —murmuró mientras de-

salojaba la batería de su hendidura. La cámara emitió un quejido y se apagó–. Fuente de energía nuclear, si no me equivoco. No debemos subestimar a nuestros adversarios.

Mayordomo asintió con la cabeza y metió a la prisionera
en un macuto de tamaño extragrande. Algo más con lo que
había que cargar a través de dos prados, una ciénaga y la escalera de un terreno cercado.

CAPÍTULO V: DESAPARECIDA EN COMBATE

EL COMANDANTE Remo estaba dando chupadas a un puro de setas especialmente nocivo para la salud. Varios miembros del equipo de Recuperación habían estado a punto de perder el conocimiento por su culpa en la lanzadera: hasta el hedor que despedía el trol esposado era gloria en comparación con aquel olor. Por supuesto, nadie decía nada porque el jefe era más sensible que un forúnculo en el agujero del trasero.

A Potrillo, por el contrario, le encantaba meterse con su superior.

—¡Nada de habanos apestosos de esos suyos aquí dentro, comandante! —rebuznó en cuanto Remo regresó a la base de operaciones—. ¡A los ordenadores no les gusta el humo!

Remo frunció el ceño, convencido de que Potrillo se lo estaba inventando. Sin embargo, el comandante no estaba dispuesto a arriesgarse a sufrir un fallo en los ordenadores en plena alarma, así que apagó el puro en la taza de café de un gremlin que pasaba por allí.

—¿Y bien, Potrillo? ¿Por qué ha saltado esa alarma? Y será mejor que tengas una buena explicación esta vez.

El centauro tenía la mala costumbre de exagerar ante auténticas trivialidades. Una vez había activado la alerta máxima porque sus estaciones de satélites humanos no funcionaban.

—Es buena, muy buena —le aseguró Potrillo—. ¿O debería decir que es por una mala razón, muy mala?

Remo sintió cómo la úlcera de su intestino empezaba a burbujear como un volcán.

—¿Cómo de mala?

Potrillo señaló Irlanda en el Eurosat.

—Hemos perdido el contacto con la capitana Canija.

—¿Por qué será que no me sorprende? —gruñó Remo, enterrando la cabeza en sus manos.

—La seguimos durante todo el camino por los Alpes.

—¿Los Alpes? ¿Es que siguió una ruta terrestre?

Potrillo hizo un gesto afirmativo.

—Va en contra del reglamento, ya lo sé, pero todo el mundo lo hace.

El comandante asintió sin dejar de gruñir. ¿Quién podía resistirse a una vista como aquella? Cuando era un novato, le habían abierto un expediente precisamente por esa infracción.

—Vale. Sigue. ¿Cuándo la perdimos?

Potrillo abrió una caja VT en la pantalla.

—Estas son las señales de la unidad del casco de Holly. Aquí estamos sobrevolando Disneyland París...

El centauro apretó el botón de avance rápido.

—Ahora delfines, bla, bla, bla... La costa irlandesa. Sin problemas por el momento. Mira, su localizador se pone en movimiento. La capitana Canija escanea el terreno en busca de lugares mágicos. El punto cincuenta y siete aparece en rojo, así que se dirige hacia allí.

—¿Por qué no Tara?

Potrillo soltó una risotada.

—¿Tara? Todos los duendes *hippies* del hemisferio Norte estarán danzando alrededor de la Lia Fáil cuando salga la luna llena. Habrá tantos escudos protectores activados que el sitio parecerá un espejismo.

—Bueno —repuso Remo apretando los dientes—, sigue explicándome lo ocurrido, ¿quieres?

—De acuerdo. Ahora, atento. —Potrillo avanzó varios minutos de cinta—. Ahora. Aquí viene la parte interesante... Un buen aterrizaje, cuelga las alas. Holly se quita el casco...

—En contra del reglamento —le interrumpió Remo—. Los agentes de la PES nunca deben quitarse...

—Los agentes de la PES nunca deben quitarse el casco protector estando en la superficie, a menos que dicho casco sea defectuoso —completó Potrillo—. Sí, comandante, todos sabemos lo que dice el manual, pero ¿me está diciendo que nunca ha inhalado una bocanada de aire fresco después de varias horas de vuelo?

—No —admitió Remo—. ¿Quién eres tú? ¿Su hada madrina o algo así? ¡Ve a la parte importante!

Potrillo se tapó con la mano una sonrisita burlona. Subirle la presión sanguínea a Remo era uno de los escasos placeres de su trabajo. Nadie más se atrevía a hacerlo, porque todos los demás eran prescindibles. Pero no Potrillo: era él quien había diseñado y construido el sistema, y si alguien intentaba sabotearlo, un virus oculto haría que al pirata informático se le desintegrasen sus puntiagudas orejillas.

—La parte importante. Aquí está, mire. De repente, Holly tira el casco. Debe de caer al suelo con el objetivo hacia abajo, porque perdemos la imagen. Pero todavía tenemos sonido, así que ahora lo activo.

Potrillo subió el volumen de la señal de audio y eliminó el ruido de fondo.

—La calidad no es muy buena. El micrófono está en la cámara, así que también está enterrado en el suelo.

—¡Bonita cerbatana! —exclamó una voz. Humana, definitivamente. Y grave, además. Eso, por lo general, significaba que era un humano de grandes dimensiones.

Remo arqueó una ceja.

—¿Cerbatana?

—*Arma* en argot.

—Ah. —En ese momento reparó en la importancia de una frase tan simple—. ¡Canija sacó su arma!

—Espere. La cosa se pone aún más fea.

—Supongo que no cabe contar con la posibilidad de una rendición pacífica, ¿verdad? —dijo una segunda voz. Sólo con oírla, al comandante le entraron escalofríos—. No —continuó la voz—, supongo que no.

—Esto no tiene buena pinta —señaló Remo con el rostro inusitadamente pálido—. Parece como si le hubieran tendido una trampa. Esos dos matones la estaban esperando. ¿Cómo es posible?

Entonces la voz de Holly se oyó a través del altavoz, hablando con un descaro muy propio de ella en situaciones de peligro. El comandante lanzó un suspiro de alivio. Al menos estaba viva. Sin embargo, la situación empeoraba a medida que las dos partes se intercambiaban amenazas y el segundo humano hacía gala de unos conocimientos muy poco corrientes acerca del mundo de los seres mágicos.

—¡Sabe lo del Ritual!

—Ahora viene lo peor.

Remo se quedó estupefacto.

—¿Lo peor?

Se oyó la voz de Holly de nuevo, esta vez equipada con el *encanta*.

—¡Ahora es cuando los aniquila! —exclamó Remo con voz triunfante.

Pero, por lo visto, no había sido así. El *encanta* no sólo había sido del todo inútil, sino que además la extraña pareja parecía encontrarlo gracioso.

—Eso es todo lo que tenemos de Holly —explicó Potrillo—. Uno de los humanos toquetea un poco la cámara y luego perdemos el contacto.

Remo se frotó las arrugas del entrecejo.

—No hay mucho por donde empezar. No hay imágenes, ni siquiera un nombre. En realidad, no podemos estar al ciento por ciento seguros de que se trate de una situación de emergencia.

—¿Quiere más pruebas? —exclamó Potrillo rebobinando la cinta—. Le daré pruebas.

Proyectó las imágenes de vídeo disponibles.

—Y ahora, mire esto. Voy a pasarlo a cámara lenta. A fotograma por segundo.

Remo se acercó más a la pantalla, lo suficiente para ver los píxeles.

—La capitana Canija realiza la maniobra de aterrizaje. Se quita el casco. Se agacha, se supone que para recoger una bellota, y... ¡ahí!

Potrillo apretó el botón de pausa y congeló la imagen por completo.

—¿Ve algo raro?

El comandante sintió que la úlcera se le revolvía a toda marcha. Había aparecido algo en la esquina superior derecha de la pantalla. A primera vista parecía un haz de luz, pero ¿luz de qué? ¿O reflejada de dónde?

—¿Puedes ampliar la imagen?

—Claro que sí.

Potrillo encuadró la zona relevante y la amplió un cuatrocientos por ciento. La luz se expandió hasta inundar la pantalla.

—Oh, no —exclamó Remo, casi sin aliento.

En la pantalla que tenían ante sus ojos, en una imagen congelada, aparecía un dardo hipodérmico. No había ninguna duda. La capitana Canija estaba desaparecida en combate. Lo más probable era que estuviese muerta, pero como mínimo había sido hecha prisionera por una fuerza hostil.

—Dime que todavía tenemos el localizador.

—Sí. Y emite una señal muy fuerte. Se mueve en dirección Norte a unos ochenta *klicks* por hora.

Remo se quedó en silencio unos minutos, elaborando su estrategia.

—Activa la alerta máxima y saca a los de Recuperación de sus literas y que bajen aquí. Prepáralos para un lanzamiento de superficie. Quiero un equipo táctico completo y un par de técnicos. Tú también, Potrillo. Es posible que tengamos que detener el tiempo en esta misión.

—Afirmativo, comandante. ¿Quiere también a los de Reconocimiento en esto?

Remo asintió con la cabeza.

⊕☿◊◊⚷→ · ⚰ · ⊠☽☿ ℬ · ⚡ · ⚡ · ⊕◊⚷☿

–Por supuesto.

–Llamaré al capitán Vein. Es nuestro mejor duende.

–Oh, no –repuso Remo–. Para una misión como esta, necesitamos al mejor de los mejores. Y ese soy yo. Me acabo de reactivar.

Potrillo estaba tan alucinado que ni siquiera supo formular un comentario ingenioso.

–Va a... Va a...

–Sí, Potrillo. No sé por qué te sorprendes tanto. Tengo más reconocimientos con éxito en mi haber que cualquier agente de la historia. Además, hice mis primeros entrenamientos en Irlanda. Allá por el tiempo de los sombreros de copa y la cachiporra.

–Sí, pero de eso hace ya quinientos años, y no era ningún retoño entonces, si quiere que le sea sincero.

Remo esbozó una sonrisa peligrosa.

–No te preocupes, Potrillo. Todavía estoy cargado hasta los topes, y compensaré lo de la edad con un arma de las grandes. Y ahora prepara una nave. Me voy en la próxima erupción.

Potrillo hizo lo que le ordenaba, sin rechistar. Cuando al comandante le asomaba aquel brillo a los ojos, había que mantener la boca cerrada. Pero había otra razón que explicaba la dócil obediencia de Potrillo: se le acababa de ocurrir que Holly podía estar en un verdadero aprieto. Los centauros no tenían muchos amigos, y temía la posibilidad de perder a una de las pocas amigas con las que podía contar.

Artemis ya había previsto el descubrimiento de algunos avances tecnológicos, pero nada comparable al hallazgo de *hardware* mágico que había desparramado encima del salpicadero del cuatro por cuatro.

–Impresionante –murmuró–. Podríamos suspender la misión ahora mismo y hacernos ricos con las patentes.

Artemis pasó un escáner manual por la muñequera de la elfa inconsciente y a continuación introdujo los extraños caracteres en el traductor de su PowerBook.

–Esto es una especie de localizador. Los camaradas de esta elfa están siguiendo nuestros movimientos ahora mismo.

Mayordomo tragó saliva.

–¿Ahora mismo, señor?

–Eso parece. O al menos están siguiendo al localizador...

Artemis dejó de hablar de repente y sus ojos se desenfocaron cuando la electricidad de su cráneo hizo chisporrotear una nueva idea genial.

–¿Mayordomo?

El criado sintió cómo se le aceleraba el corazón. Conocía muy bien aquel tono de voz. Algo importante se estaba cociendo en aquel cerebro.

–¿Sí, Artemis?

–Ese ballenero japonés. El que han inmovilizado las autoridades portuarias. ¿Sigue amarrado a los muelles?

Mayordomo hizo un gesto afirmativo.

–Sí, eso creo.

Artemis empezó a dar vueltas al localizador-muñequera con el dedo índice.

–Bien. Llévanos hasta allí. Creo que ha llegado la hora de que nuestros amiguitos enanos sepan exactamente con quién se la juegan.

Remo estampó el sello de su propia reactivación con una velocidad asombrosa, algo muy poco habitual en las instancias superiores de la PES. Por lo general, solía costar meses y multitud de reuniones soporíferas aprobar cualquier solicitud del escuadrón de Reconocimiento. Por suerte, Remo tenía algunas influencias en la comandancia.

Era maravilloso poder volver a ponerse el uniforme de combate, y Remo llegó a convencerse de que el mono no le quedaba más ajustado en la parte de la cintura que antes. La barriga, razonó, se debía a todos aquellos aparatos modernos que embutían en aquellas cosas. Personalmente, Remo no tenía tiempo para todos aquellos cachivaches. Lo único que de veras le interesaba eran las alas de su espalda y el fulminador multifase de tres cañones refrigerado por agua que llevaba atado a la cadera: el arma más poderosa de todo el mundo subterráneo. Era viejo, eso seguro, pero había acompañado a Remo en incontables tiroteos y le hacía sentirse como un agente en activo de nuevo.

La plataforma de lanzamiento más cercana a la posición de Holly era E1 Tara. No se trataba de una ubicación ideal para una misión furtiva, precisamente, pero con apenas dos horas de luna, no había tiempo para una excursión terrestre. Si había alguna posibilidad de arreglar aquel desaguisado antes de la salida del sol, la velocidad era lo esencial. Requisó la lanzadera E1 para su equipo y echó de ella a un grupo de turistas que, al parecer, habían hecho cola durante dos años.

—Se trata de una emergencia —explicó Remo con un gruñido a la representante de la agencia de viajes—. Y es más: pienso suspender todos los vuelos de recreo hasta que se solucione esta crisis.

–¿Y cuándo será eso? –gritó la enana, furiosa, al tiempo que blandía un cuaderno como si fuese a presentar una queja de alguna clase.

Remo escupió la colilla de su cigarro y la aplastó con fuerza con el talón de su bota. El simbolismo era muy elocuente.

–Las rampas de lanzamiento estarán abiertas, señora, cuando a mí me dé la real gana –bramó el comandante–. Y si usted y su fluorescente uniforme no se quitan de en medio, haré trizas su licencia de actividades económicas y ordenaré que la metan en una celda por obstrucción a un agente de la PES.

La enana se achicó ante él y volvió a ponerse a la cola sigilosamente deseando que su uniforme no fuese tan rosa.

Potrillo le esperaba en la nave. Pese a lo crítico de la situación, no pudo contener un relincho jocoso al ver bambolearse ligeramente la panza de Remo en el interior de su apretado uniforme.

–¿Está seguro de lo que va a hacer, comandante? Por lo general, sólo admitimos un pasajero por nave.

–¿A qué te refieres? –gruñó Remo–. Sólo va a haber un...

Entonces advirtió la elocuente mirada de Potrillo, concentrada en su barriga.

–Ah. Ja, ja. Muy gracioso. Sigue así y verás, Potrillo. Tengo mis límites, ya lo sabes.

Pero era una amenaza inofensiva, y ambos lo sabían. Potrillo no sólo había diseñado y construido su red de comunicaciones, sino que también era un pionero en el campo de la predicción de erupciones. Sin él, la tecnología humana muy bien podría ponerse al nivel de los avances duendiles.

Remo se abrochó el cinturón de seguridad en el interior de la nave. Nada de cacharros de medio siglo para el comandante.

Aquella preciosidad acababa de salir de la línea de montaje: plateada y brillante, con los nuevos alerones de estabilización de contorno irregular que se suponía que leían las corrientes de magma automáticamente. Una innovación de Potrillo, por supuesto. Durante un siglo más o menos, todas sus creaciones habían seguido las tendencias futuristas, con mucho neón y caucho. Sin embargo, últimamente su sensibilidad se había hecho más retro, y había optado por sustituir todos los cachivaches por salpicaderos de nuez y tapicería de cuero. A Remo, aquel viejo estilo decorativo le parecía extrañamente reconfortante.

Enroscó los dedos alrededor de las palancas de mando y de repente cayó en la cuenta de la cantidad de tiempo que había pasado desde que había montado las turbonaves. Potrillo advirtió su preocupación.

—No se preocupe, jefe —dijo sin emplear su cinismo habitual—. Es como montar en unicornio. Nunca se te olvida.

Remo soltó un gruñido, escéptico.

—Pongamos la cosa en marcha —masculló entre dientes—. Antes de que me arrepienta.

Potrillo arrastró la puerta hasta que esta alcanzó el anillo de succión, que selló la entrada con un silbido neumático. El rostro de Remo adquirió una tonalidad verdosa a través del panel de cuarzo. Ya no parecía asustado. De hecho, parecía todo lo contrario.

Artemis estaba practicando un poco de cirugía de campaña sobre el localizador. Alterar algo de aquellas dimensiones sin destruir su mecanismo no era moco de pavo. Las tecnologías eran del todo incompatibles. Era como intentar practicar una operación a corazón abierto con un mazo.

El primer problema era abrir el maldito cacharro. Tanto los destornilladores Phillips como los planos sólo lograban hacerles cosquillas a aquellos tornillos. Ni siquiera el amplio surtido de llaves de Allen con el que contaba Artemis eran capaces de agarrarse a los minúsculos orificios. «Piensa a lo futurista —se dijo Artemis—. Piensa en tecnología avanzada.»

Se le ocurrió al cabo de unos momentos de contemplación silenciosa. Tornillos magnéticos. En realidad era obvio, pero ¿cómo construir un campo magnético giratorio en la parte de atrás de un cuatro por cuatro? Imposible. La única solución consistía en hacer girar los tornillos manualmente con un imán casero.

Artemis extrajo el imán pequeño de su sitio en la caja de herramientas y colocó ambos polos sobre los tornillos diminutos. El polo negativo hizo que se movieran unos milímetros, los necesarios para que Artemis los agarrara con unas pinzas de depilar y, en un abrir y cerrar de ojos, consiguió desmontar el panel del localizador.

El sistema de circuitos era microscópico. Y no había ni rastro de soldaduras. Aquellos seres debían de utilizar un sistema de juntura diferente. Si tuviese tiempo, tal vez podría desentrañar los principios de funcionamiento de aquel aparato, pero por el momento tendría que improvisar. Iba a tener que confiar en la desidia de sus enemigos, y si las Criaturas eran como los humanos, sólo verían lo que querían ver.

Artemis acercó la parte frontal del localizador a la luz de la cabina. Era transparente. Ligeramente polarizada, pero sería suficiente. Apartó una maraña de cables minúsculos y relucientes e insertó una cámara microscópica en el espacio que había quedado libre. Aseguró el transmisor liliputiense con una pizca de silicona. Rudimentario pero eficaz. O eso esperaba.

Los tornillos magnéticos se negaban a regresar a sus ranuras sin la herramienta adecuada, de manera que Artemis tuvo que pegarlos también. Un sistema muy cutre y aparatoso, pero bastaría para cumplir su cometido, siempre y cuando no examinaran el localizador con detenimiento. Pero ¿y si lo hacían? Bueno, en ese caso sólo perdería una ventaja con la que ni siquiera contaba para empezar.

Mayordomo apagó las largas al entrar en los límites de la ciudad.

—Ya entramos en los muelles, Artemis —señaló, hablando por encima de su hombro—. Va a aparecer una patrulla del servicio de aduanas en cualquier momento.

Artemis asintió. Era lógico, pues el puerto era un hervidero de actividades ilegales. Más del cincuenta por ciento del contrabando del país desembarcaba en alguna parte de aquella franja de un kilómetro de longitud.

—Distráelos entonces, Mayordomo. Sólo necesito dos minutos.

El criado asintió con gesto pensativo.

—¿Lo de siempre?

—No veo por qué no. Piérdete... Bueno, no en el sentido literal...

Artemis parpadeó. Aquel era su segundo chiste en pocos días. Y en voz alta, además. Había que ir con cuidado. No era el momento de andar con frivolidades.

Los estibadores del muelle se estaban liando unos cigarrillos. No era tarea fácil con unos dedos del tamaño de morcillones, pero se las apañaban. ¿Y qué si unas cuantas hebras de tabaco marrón se caían sobre las losas del pavimento? Podían conseguir los paquetes a través de un hombrecillo que no se molestaba en añadir los impuestos del gobierno a sus precios.

Mayordomo se acercó a los hombres, con los ojos tapados por la visera de una gorra.

—¡Qué frío hace esta noche! —exclamó dirigiéndose al grupo.

Nadie contestó. Los polis podían ir disfrazados de cualquier cosa.

El desconocido grandullón siguió insistiendo.

—Incluso trabajar es mejor que estar aquí pasando frío en una noche como esta.

Uno de los trabajadores, el más corto de luces, no pudo evitar hacer un gesto de asentimiento. Un compañero le dio un codazo en las costillas.

—Aunque, la verdad... —prosiguió el recién llegado—, no creo que unas nenazas como vosotras hayáis dado golpe en toda vuestra vida.

Seguía sin haber respuesta, pero esta vez era porque los estibadores se habían quedado boquiabiertos.

—Sí, ya lo creo. Formáis una pandilla bastante patética —continuó Mayordomo alegremente—. Vaya, no hay duda de que habríais podido pasar por hombres en la época de la hambruna, pero hoy en día sois poco más que una panda de alfeñiques con falda.

—¡Arrrjjj! —exclamó uno de los trabajadores del muelle. Fue lo único que logró articular.

Mayordomo arqueó una ceja.

—¿Arjjj? Además de patéticos, ni siquiera sabéis hablar. Una buena combinación. Vuestras madres deben de estar orgullosas.

El desconocido acababa de cruzar una línea sagrada: había mentado a las madres de los estibadores. Ahora, nada iba a librarle de una buena paliza, ni siquiera el hecho de que, evidentemente, fuese un retrasado. Aunque un retrasado con un buen vocabulario.

Los hombres apagaron los cigarrillos de un pisotón y se distribuyeron lentamente en un semicírculo. Eran seis contra uno. Daban un poco de lástima. Mayordomo no había terminado todavía.

—Y ahora, antes de que empecemos, señoras, nada de escupitajos ni arañazos. ¡Ah! Y nada de ir lloriqueando a mamaíta con el cuento.

Fue la gota que colmó el vaso. Los hombres lanzaron un gruñido y se echaron encima de él como si fuesen uno solo. Si hubiesen prestado un poco de atención a su adversario en el momento anterior a la embestida, se habrían dado cuenta de que acababa de cambiar el peso de su cuerpo para bajar su centro de gravedad. También habrían visto que las manos que acababa de sacar de los bolsillos eran del tamaño y la forma aproximada de un par de palas. Pero nadie estaba prestando atención a Mayordomo, todos demasiado ocupados observando a sus camaradas, asegurándose de que no estaban solos en la pelea.

La clave de una maniobra de distracción es que tiene que distraer. Tiene que ser algo grande. Fuerza bruta. Para nada el estilo de Mayordomo. Si de él dependiese, habría preferido quitar a aquellos caballeros de en medio desde una distancia de quinientos metros con un rifle de dardos. En caso de que eso fallase, si el contacto se hacía del todo necesario, una serie de pinchazos con el dedo gordo en la maraña de nervios que había en la base del cuello habría sido su *modus operandi*: silencioso como un susurro. Pero eso haría fracasar el objetivo del ejercicio.

Así, Mayordomo fue en contra de los principios de su entrenamiento, soltando tacos como un carretero y utilizando las tácticas de combate más vulgares. Puede que fuesen vulgares, pero eso no significaba que no resultasen eficaces. Tal vez un sacerdote Shao Lin habría previsto algunos de los movimientos más exagerados, pero aquellos hombres apenas tenían formación para ser dignos oponentes de él. Para hacer justicia, lo cierto es que ni siquiera estaban completamente sobrios.

Mayordomo tumbó al primero con un puñetazo circular. Hizo chocar entre sí las cabezas de otros dos, al más puro estilo de los dibujos animados. El cuarto, para eterna vergüenza de Mayordomo, quedó aniquilado de una patada con giro, pero el toque más ostentoso quedó reservado para el último par. El sirviente hizo una pirueta hacia atrás, los cogió por el cuello de los chaquetones y los arrojó al puerto de Dublín. Se oyó el sonoro ¡plaf! de los dos cuerpos al caer al agua y luego un montón de gemidos. Perfecto.

Dos faros asomaron bajo la sombra negra de un carguero y un coche patrulla empezó a aullar por los muelles. Tal como estaba previsto, una patrulla del servicio de aduanas en misión de vigilancia. Mayordomo esbozó una amplia sonrisa de satisfacción y se escabulló por una esquina. Ya hacía rato que había desaparecido cuando los agentes mostraron sus placas y empezaron a hacer preguntas. Aunque el interrogatorio no dio demasiados resultados: «fuerte y grandullón» no era una descripción del todo útil para dar con él.

Para cuando Mayordomo regresó al vehículo, Artemis ya había vuelto de su misión.

–Buen trabajo, amigo mío –lo felicitó–. Aunque estoy seguro de que tu *sensei* de artes marciales se estará revolviendo en su tumba ahora mismo. ¿Una patada con giro? ¿Cómo has podido?

Mayordomo se mordió la lengua, dando marcha atrás con el cuatro por cuatro para salir de los muelles. Cuando cruzaron el paso elevado, no pudo resistir la tentación de mirar abajo para contemplar el caos que había armado. Los policías estaban sacando a un estibador empapado del agua contaminada.

Artemis había necesitado aquella maniobra de distracción para algo, pero Mayordomo sabía que no valía la pena preguntárselo. Su jefe no compartía sus planes con nadie hasta que creía que era el momento oportuno. Y si Artemis creía que era el momento oportuno, lo normal es que lo fuera.

Remo salió temblando de la nave. No recordaba que fuese así en sus tiempos aunque, a decir verdad, lo más probable es que fuese mucho peor. En la época de la cachiporra, no había arneses de polímero de diseño ni sistema de autoeyección ni, desde luego, monitores externos. Todo dependía exclusivamente del instinto y de un toque de encanto. En cierto modo, Remo lo hubiese preferido así: la ciencia le estaba quitando la magia a todo.

Recorrió el túnel con paso vacilante en dirección a la terminal. Como destino preferido número uno, Tara disponía de una sala de pasajeros con toda clase de equipamientos. Aterrizaban seis lanzaderas por semana solamente de Ciudad Refugio. No en las erupciones, por supuesto. A los turistas que se costeaban los viajes no les gustaba que los marearan de aquella manera, a no ser, claro está, que fuesen en una excursión ilegal a Disneyland.

La central estaba abarrotada de turistas que habían pasado una sola noche para disfrutar de la luna llena y que no dejaban de protestar por las suspensiones de los vuelos de las lanzaderas. Una duendecilla muy agobiada estaba parapetada detrás de su ventanilla de venta de billetes, asediada por una panda de gremlins furiosos.

—Es inútil que me hagáis un maleficio a mí —se quejaba la duende—, el responsable de todo esto es el elfo.

Extendió un dedo verde y tembloroso para señalar al comandante, que se aproximaba en ese preciso momento. La banda de gremlins se volvió hacia Remo, y cuando vieron el fulminador de tres cañones en su cadera, siguieron dando toda la vuelta.

Remo cogió el aparato de megafonía de detrás del mostrador y desenrolló todo el cable.

—Ahora, escúchenme todos —bramó mientras el eco de su tono grave retumbaba por la terminal—. Soy el comandante Remo de la PES. Tenemos una situación de emergencia en la superficie y espero un poco de cooperación por parte de ustedes, la población civil. En primer lugar..., ¡me gustaría que dejaran de cotorrear para ver si así puedo oír mis propias ideas!

Remo hizo una pausa para asegurarse de que su público respetaba sus deseos. Los respetaron.

–En segundo lugar –prosiguió–, me gustaría que todos ustedes, incluyendo a esos niños que no paran de berrear, se sienten en los bancos de cortesía hasta que me haya ido. Luego pueden volver a lloriquear y a darse un atracón. O a lo que sea que hagan los civiles.

Nadie había acusado nunca a Remo de ser políticamente correcto, y lo más probable es que nadie fuese a hacerlo nunca.

–Y quiero que quienquiera que esté a cargo de todo esto venga aquí ahora mismo. ¡Enseguida! –concluyó.

Remo tiró el micrófono del sistema de megafonía encima de la mesa. Un sonido agudísimo resonó en los tímpanos de todo el edificio. En fracciones de segundo, un híbrido de elfo-goblin aparecía para darle unos toquecitos en el codo.

–¿Podemos hacer algo por usted, comandante?

Remo asintió con la cabeza al tiempo que introducía un habano gigantesco en el agujero de debajo de su nariz.

–Quiero que abráis un túnel que pase directamente a través de este lugar. No quiero que me molesten los de Aduanas ni tampoco Inmigración. Empieza a enviar a todo el mundo abajo en cuanto lleguen mis chicos.

El director de la estación de lanzaderas tragó saliva.

–¿A todo el mundo?

–Sí, incluyendo al personal de la terminal. Y llévate todo lo que puedas contigo. Evacuación total. –Se interrumpió y miró fijamente a los ojos malva del director–. Esto no es un simulacro.

–Quiere decir...

–Sí –dijo Remo mientras seguía avanzando por la rampa de acceso–. Los Fangosos han cometido un acto abiertamente hostil. Quién sabe cómo acabará esto...

El híbrido elfo-goblin vio cómo Remo desaparecía envuelto en una nube de humo de habano. ¿Un acto abiertamente hostil? Aquello podía significar la guerra. Marcó el número de su asesor financiero en el teléfono móvil.

—¿Bark? Sí. Soy Nimbus. Quiero que vendas todas mis acciones de la estación de lanzamientos. Sí, todas. Tengo el presentimiento de que van a bajar en picado.

La capitana Holly Canija se sentía como si una babosa chupóptera le estuviera succionando el cerebro por el agujero de la oreja. Intentó recordar qué circunstancias podían ser las causantes de semejante agonía, pero entre sus facultades mentales no se hallaba la de la memoria en ese momento: respirar y permanecer tumbada era lo máximo a lo que podía aspirar en su estado.

Había llegado el momento de intentar pronunciar una palabra. Algo corto y adecuado para la ocasión. Decidió que «auxilio» era la opción más lógica. Inspiró un poco de aire sin dejar de temblar y abrió la boca.

—Auuu... Auuu... —dijeron sus labios traidores. Una auténtica paparruchada. Ininteligible. Ni un gnomo borracho lo habría hecho peor.

¿Qué diablos le estaba pasando? Estaba tumbada de espaldas sin gota de fuerza en el cuerpo, menos incluso que una raíz en un túnel húmedo. ¿Qué le había hecho quedarse en ese estado? Holly se esforzó por recordar, al borde del desmayo.

¿El trol? ¿Había sido el trol? ¿La había atacado en aquel restaurante? Eso podría explicarlo todo. Pero no. De repente le pareció recordar algo sobre el país de sus ancestros. Y sobre el Ritual. Y tenía algo clavado en el tobillo.

—¿Hola?

Una voz. No era la suya. Ni siquiera era la voz de un duende.

—¿Estás despierta entonces?

Era una lengua europea. Latín. No. Parecía inglés. ¿Estaba en Inglaterra?

—Creía que el dardo te había matado. Las tripas de los alienígenas son distintas de las nuestras. Lo vi en la tele.

Palabras incoherentes. ¿Las tripas de los alienígenas? ¿De qué le estaba hablando aquella criatura?

—Pareces estar en forma. Como Muchacho María, una luchadora mexicana enana.

Holly lanzó un gruñido. Su don de lenguas debía de estar de vacaciones. Era el momento de ver exactamente a qué clase de extraña criatura se estaba enfrentando. Concentrando todas sus fuerzas en la parte delantera de la cabeza, Holly abrió un ojo y volvió a cerrarlo casi inmediatamente. Le pareció haber visto una especie de mosca rubia gigante mirándola.

—No tengas miedo —dijo la mosca—. Sólo son unas gafas de sol.

Holly abrió ambos ojos esta vez. La criatura estaba sacando un ojo plateado. No, no era un ojo. Era una lente. Una lente de espejo. Como las lentes que llevaban los otros dos... De repente, lo recordó absolutamente todo, como un fogonazo de luz que rellenó el hueco de su memoria igual que la cerradura de una caja fuerte cuando encaja en su sitio. Dos humanos la habían abducido durante el Ritual, dos humanos con toda una información extraordinaria sobre el mundo de los seres mágicos.

Holly intentó hablar de nuevo.

—¿Dónde... dónde estoy?

La humana se echó a reír a carcajadas y dio una palmada con las manos. Holly se fijó en sus uñas, largas y pintadas.

—¡Pero si hablas mi lengua! ¿Qué acento es ese? Parece una mezcla de todos los acentos...

Holly frunció el ceño. La voz de la chica le perforaba justo el epicentro de su dolor de cabeza. Levantó el brazo. Ni rastro del localizador.

—¿Dónde están mis cosas?

La chica meneó el dedo como si estuviera regañando a un niño pequeño.

—Artemis ha tenido que quitarte esa arma tuya y todos los demás juguetitos. No podía permitir que te hicieses daño.

—¿Artemis?

—Artemis Fowl. Todo esto ha sido idea suya. Todo siempre es idea suya.

Holly se estremeció. Artemis Fowl. Por alguna razón, hasta el nombre le daba escalofríos. Era un mal presagio. La intuición de los duendes nunca se equivocaba.

—Van a venir a buscarme, ¿sabes? —dijo con voz ronca y con los labios secos—. No sabéis lo que habéis hecho.

La chica puso cara de pocos amigos.

—Tienes toda la razón. No tengo ni idea de lo que pasa aquí, así que no te molestes en ponerme nerviosa.

Holly arrugó el entrecejo. Evidentemente, era absurdo intentar sus triquiñuelas psicológicas con aquella cabeza de chorlito humana. Practicar un *encanta* era su única esperanza, pero no podía atravesar las superficies reflejas. ¿Cómo rayos sabían eso los humanos? Bueno, ya lo averiguaría más tarde. De momento, lo más importante era encontrar una forma de separar a aquella chica vacía y superficial de sus gafas de sol de espejo.

—Eres una humana muy guapa —le dijo con la voz cargada de zalamería dulzona.

—Vaya, muchas gracias...

—Holly.

—Muchas gracias, Holly. Una vez salí en el periódico local. Gané un concurso. Miss Remolacha Azucarera 1999.

—Lo sabía. Una belleza natural. Seguro que tienes unos ojos espectaculares.

—Eso me dice todo el mundo —asintió Juliet—, que tengo unas pestañas que quitan el hipo.

Holly lanzó un suspiro.

—Ojalá pudiese vértelas...

—Bueno, ¿y por qué no?

Juliet cogió con los dedos la patilla de las gafas e hizo amago de quitárselas. Luego lo pensó mejor.

—Creo que no debería.

—¿Por qué no? Sólo un segundo.

—No lo sé. Artemis me ha dicho que no me las quite bajo ninguna circunstancia.

—No se enterará, no te preocupes.

Juliet señaló una videocámara que había en la pared.

—Sí, sí que se enteraría. Artemis siempre se entera de todo. —Se acercó un poco más a la elfa—. A veces me da la sensación de que puede ver lo que ocurre en el interior de mi cerebro.

Holly frunció el ceño. Otro intento frustrado por culpa de aquel tal Artemis.

—Venga. Sólo será un segundo. ¿Qué daño podría hacerte?

Juliet fingió meditarlo.

–Ninguno, supongo. A menos, claro está, que pretendas inmovilizarme con uno de esos *encanta*. ¿Es que me tomas por idiota?

–Tengo otra idea –añadió Holly cambiando de tono, ahora un poco más serio–. ¿Por qué no me levanto, te dejo fuera de combate de un puñetazo y te quito esas estúpidas gafas?

Juliet se echó a reír a carcajadas, como si fuese la cosa más absurda que hubiese oído en su vida.

–Eso ha sido muy bueno, duendecilla.

–Te lo digo muy en serio, humana.

–Bueno, si lo dices en serio –suspiró Juliet, al tiempo que introducía uno de sus delicados dedos detrás de las gafas para limpiarse una lágrima–, te daré dos razones. Una: Artemis dijo que mientras estés en la casa de un humano, tienes que hacer lo que nosotros queramos. Y yo quiero que te quedes en ese catre.

Holly cerró los ojos. La chica estaba de nuevo en lo cierto. ¿De dónde obtenía aquel grupo su información?

–Y dos –añadió Juliet con una sonrisa, pero esta vez había un dejo de su hermano en aquellos dientes–: porque he recibido el mismo entrenamiento que Mayordomo, y me muero de ganas de practicar mi gancho de izquierda.

«Eso ya lo veremos, humana», pensó Holly para sus adentros. La capitana Canija todavía no se había recuperado completamente y además aquella cosa seguía molestándole en el tobillo. Creía saber qué podía ser y, si estaba en lo cierto, podía ser el principio de un plan.

El comandante Remo tenía grabada la frecuencia del localizador de Holly en la pantalla facial de su casco. Remo tardó más de lo que esperaba en llegar a Dublín. El equipo de alas moderno resultó ser más difícil de manejar que los antiguos y, además, no había ido a ningún curso de reciclaje desde que había sido nombrado comandante. Una vez alcanzada la altura correcta, casi logró superponer el mapa luminoso de su visera encima de las calles reales de Dublín que se abrían a sus pies. Casi.

–Potrillo, ¡menudo centauro presuntuoso estás hecho! –gruñó al micrófono.

–¿Algún problema, jefe? –preguntó una voz con tono metálico.

–¿Problema? Eso es poco. ¿Cuándo fue la última vez que actualizaste los archivos de Dublín?

Remo oyó un ruido como de mordiscos por el altavoz. Parecía como si Potrillo estuviese almorzando.

–Lo siento, comandante. Me estoy acabando una zanahoria. Ñam... Dublín, vamos a ver..., setenta y cinco... En 1875.

–¡Ya decía yo! Esto está completamente cambiado. Los humanos han conseguido alterar incluso la forma de la costa.

Potrillo se quedó en silencio unos instantes. Remo se lo podía imaginar batallando con el problema. El centauro no soportaba que le dijesen que alguna parte de su sistema estaba desfasada.

–Muy bien –dijo al fin–. Le diré qué vamos a hacer. Tenemos un Alcance en un satélite de televisión con un plano de Irlanda.

–Ya veo –murmuró Remo, lo cual, evidentemente, era una mentira.

–Le voy a mandar por correo electrónico la lectura de la semana pasada directamente a su visera. Por suerte, todos los cascos nuevos llevan una tarjeta de vídeo.

—Por suerte.

—La parte peliaguda será coordinar su patrón de vuelo con la información de vídeo...

Remo se hartó.

—¿Cuánto vas a tardar, Potrillo?

—Hum... Dos minutos, poco más o menos.

—¿Cuánto más o cuánto menos?

—Unos diez años, si mis cálculos son correctos.

—En ese caso, será mejor que no sean correctos. Me quedaré en suspensión hasta que lo sepamos.

Ciento veinticuatro segundos más tarde, los planos en blanco y negro de Remo empezaron a difuminarse hasta quedar reemplazados por imágenes actualizadas a todo color. Cuando Remo se movió, el nuevo plano se movió y la señal luminosa del localizador de Holly se movió también.

—Impresionante —exclamó Remo.

—¿Cómo dice, comandante?

—He dicho impresionante —gritó Remo—. Pero que no se te suban los humos.

El comandante oyó el sonido de unas risas atronadoras y se dio cuenta de que Potrillo había activado la opción manos libres del teléfono de la sala de operaciones especiales. Todo el mundo le había oído alabar el trabajo del centauro. No le dirigiría la palabra en un mes, pero había valido la pena. Las imágenes de vídeo que estaba recibiendo en esos instantes estaban totalmente actualizadas. Si tenían retenida a la capitana Canija en un edificio, el ordenador podría transmitirle planos tridimensionales al instante. Aquello iba a ser pan comido. A menos que...

—Potrillo, la señal luminosa se aleja de la costa. ¿Qué ocurre?

—Yo diría que se trata de una lancha o un barco, señor.

Remo se maldijo por no haberlo deducido él mismo. Seguro que en la sala se estaban descuajaringando de risa. Pues claro que se trataba de un barco. Remo descendió unos cuantos cientos de metros hasta que su contorno impreciso surgió entre la niebla. Por su aspecto, parecía un ballenero. Puede que la tecnología hubiese cambiado con el paso de los siglos, pero un arpón seguía siendo el arma más eficaz para acabar con el mamífero más grande del mundo.

—La capitana Canija está ahí en alguna parte, Potrillo. Bajo la cubierta. ¿Qué ves?

—Nada, señor. No es una parte integrante del barco. Para cuando hayamos conseguido la lectura, podría ser demasiado tarde.

—¿Qué me dices de las imágenes térmicas?

—No, comandante. Ese casco debe de tener al menos cincuenta años y un contenido de plomo muy elevado. No podemos atravesar la primera capa. Me temo que a partir de ahora está usted solo.

Remo meneó la cabeza.

—Con todos los billones que hemos invertido en tu departamento... Recuérdame que te recorte el presupuesto en cuanto vuelva.

—Sí, señor —respondió el centauro en tono huraño, para variar. A Potrillo no le gustaban las bromas con el presupuesto.

—Quiero que pongas al Escuadrón de Recuperación en alerta máxima. Es posible que los necesite de un momento a otro.

—Lo haré, señor.

—Será mejor que lo hagas. Corto y fuera.

Remo estaba solo. A decir verdad, lo prefería así. Nada de ciencia ni de centauros vanidosos relinchándole al oído. Sólo un duende, su ingenio y tal vez un poco de magia.

Remo ladeó las alas de polímero y rozó la parte inferior de un banco de niebla. No tenía necesidad de andarse con cuidado. Con el escudo activado, era invisible a los ojos humanos. Incluso para un radar ultrasensible, no sería más que una distorsión apenas perceptible. El comandante bajó en picado hasta la borda. Era un barco horroroso, con el olor a dolor y a muerte incrustado en la cubierta lavada con sangre. Muchas criaturas nobles habían muerto allí, habían muerto y habían sido disecadas para conseguir unas cuantas pastillas de jabón y un poco de aceite. Remo meneó la cabeza con resignación. Los humanos eran unos bárbaros.

En ese momento, la señal de Holly empezó a parpadear con insistencia. Estaba cerca, muy cerca. En algún lugar dentro de un radio de doscientos metros se hallaba el cuerpo aún con vida —o eso esperaba él— de la capitana Canija, pero sin los planos tendría que apañárselas para navegar por la panza de aquel barco sin la ayuda de nadie.

Remo aterrizó con suavidad en la cubierta y sus botas se adhirieron ligeramente a la mezcla de jabón seco y grasa que recubría la superficie de acero. La nave parecía estar desierta: no había ningún centinela en la plancha ni contramaestre en el puente de mando ni se veían luces por ninguna parte, pero, a pesar de ello, no había razones para dejar de actuar con cautela. Remo sabía por amarga experiencia que los humanos siempre aparecían en el momento más inesperado. Una vez, mientras ayudaba a los chicos de Recuperación a quitar los restos de una nave destrozada de las paredes de un túnel, un grupo de humanos espeleólogos los avistó. Menudo follón se había armado... Historia general, persecuciones a toda velocidad y una limpieza de memoria de todo el grupo. El grupo de nueve personas enterito. Remo se estremeció. Una noche como aquella podía hacer envejecer décadas a cualquier duende.

Con la protección total del escudo, el comandante guardó las alas en su funda y avanzó a pie por la cubierta. En su pantalla no aparecía ninguna forma de vida pero, tal como había dicho Potrillo, el casco del barco tenía un alto contenido de plomo... ¡hasta la pintura era de plomo! El barco entero era un peligro ecológico flotante. Podía haber un regimiento completo de tropas de asalto escondido bajo la cubierta y su cámara ni siquiera lo detectaría. Un pensamiento muy reconfortante... Incluso la señal luminosa de Holly estaba un par de tonos por debajo de lo normal... ¡y eso que tenía una microbatería nuclear en su interior emitiendo las pulsaciones! A Remo aquello no le gustaba nada. Ni un pelo. «Tranquilo —se dijo con sorna—. Llevas el escudo de protección. No hay humano vivo capaz de verte ahora mismo.»

Remo dio un tirón para abrir la primera escotilla, que cedió sin oponer resistencia. El comandante olisqueó la compuerta. Los Fangosos habían engrasado las bisagras con grasa de ballena. ¿Es que su depravación no tenía límites?

El pasillo estaba inmerso en una oscuridad viscosa, por lo que Remo activó su filtro de infrarrojos. Bueno..., de acuerdo, a veces la tecnología sí resultaba útil, pero no pensaba decírselo a Potrillo. El laberinto de tuberías y rejillas que se abría ante él quedó inmediatamente iluminado por una luz roja antinatural. Al cabo de unos minutos, ya se estaba arrepintiendo de haber pensado algo bueno sobre la dichosa tecnología de su subordinado el centauro. El filtro de infrarrojos interfería con su percepción de profundidad y ya se había golpeado la cabeza contra dos sifones protuberantes en el tiempo que llevaba allí dentro.

Seguía sin haber rastro de vida, humana o mágica. Sí había muchísimas señales de vida animal, sobre todo roedores, y cuando mides un metro escaso de altura, una rata grande puede suponer una verdadera amenaza, sobre todo teniendo en cuenta que las ratas son de las pocas especies que pueden ver a través de los escudos protectores mágicos. Remo quitó el seguro a su fulminador y puso el ajuste de potencia en el nivel tres o «poco hecho», tal como lo llamaban los elfos en los vestuarios. A continuación, hizo que una rata saliera disparada con el trasero humeante como señal de advertencia a las demás. No había sido un disparo mortal, sólo lo bastante dañino para que aprendiese a no volver a mirar de refilón a un duende con prisas.

Remo siguió avanzando. Aquel sitio era ideal para tender una emboscada. Caminaba prácticamente a ciegas, de espaldas a la única salida posible. Una pesadilla para los de Reconocimiento. Si uno de sus propios hombres hubiese logrado concluir con éxito una proeza como aquella, lo habría ascendido sin dudarlo, pero los momentos desesperados requerían unos riesgos sensatos. Esa era la esencia de estar al mando.

Pasó de largo junto a varias puertas a uno y otro lado, siguiendo la señal luminosa. Sólo estaba a diez metros. Una escotilla de acero sellaba el pasillo, y la capitana Canija —o su cadáver— se hallaba al otro lado.

Remo empujó la puerta con el hombro y esta cedió sin oponer resistencia. Mala señal. Si una criatura viva era prisionera de alguien, la escotilla habría estado cerrada. El comandante ajustó el nivel de potencia del fulminador en el cinco y avanzó por el agujero. El arma emitió un leve zumbido: ahora tenía potencia suficiente para aniquilar a un elefante macho de una sola descarga.

No había ni rastro de Holly, ni de cualquier otra cosa. Estaba en una zona de almacenamiento frigorífico. Unas estalactitas relucientes colgaban de un laberinto de tuberías. El aliento de Remo cobraba vida ante él en forma de nubecillas heladas. ¿Qué pensaría un humano si lo viera? El fenómeno de la respiración incorpórea.

—Ah —dijo una voz familiar—, tenemos una visita.

Remo apoyó una rodilla en el suelo y colocó el arma a la altura de donde procedía la voz.

—Has venido a rescatar a tu agente desaparecida, ¿a que sí?

El comandante parpadeó para quitarse una perla de sudor del ojo. ¿Sudor? ¿A aquella temperatura?

—Bueno, pues me temo que te has equivocado de sitio.

La voz era metálica: artificial, amplificada. Remo comprobó la lectura de su localizador en busca de señales de vida. No había ninguna. Desde luego, no en aquel almacén. Lo estaban vigilando desde alguna otra parte, pero... ¿desde dónde? ¿Acaso había una cámara en alguna esquina, escondida en el laberinto de cañerías y tubos, capaz de atravesar el escudo mágico?

—¿Dónde estás? ¡Hazte visible!

El humano soltó una risita burlona que retumbó de forma antinatural por la enorme bodega.

—Ah, no. Todavía no, amigo duende. Pero lo haré muy pronto, no te preocupes, y cuando lo haga, desearás no haberme visto nunca.

Remo siguió la voz. Tenía que hacer que el humano continuase hablando.

—¿Qué quieres?

—Hum... ¿Que qué quiero? Lo sabrás muy pronto, ya te lo he dicho.

En el centro de la bodega había una caja baja con un maletín en su interior. El maletín estaba abierto.

—¿Y por qué me has traído hasta aquí entonces?

Remo empujó el maletín con la pistola. No pasó nada.

—Te he traído aquí para hacerte una demostración.

El comandante se acercó al maletín abierto. En su interior, en un embalaje de porexpán, había un paquete plano y envasado al vacío y un transmisor de VHF de triple frecuencia. Encima estaba el localizador de Holly. Remo lanzó un gruñido. Holly no le habría dado a nadie su equipo así como así; ningún agente de la PES lo haría.

—¿Qué clase de demostración, psicópata retorcido?

Se oyó de nuevo aquella risa fría.

—Una demostración de mi absoluto compromiso con mis objetivos.

Remo debería haber empezado a preocuparse por su salud en ese momento, pero estaba demasiado ocupado preocupándose por la de Holly.

—Si has tocado aunque sea un solo centímetro de las puntiagudas orejas de mi agente...

—¿Tu agente? Vaya, ya empezamos con la autoridad. ¡Qué privilegio! Bueno, tanto mejor para dejar bien claro lo que quiero decir.

La alarma sonó en la cabeza de Remo.

—¿Lo que quieres decir?

La voz procedente del altavoz de la rejilla de aluminio sonaba tan dura como un invierno nuclear.

—Lo que quiero decir, mi pequeño duendecillo, es que no soy alguien con quien se pueda jugar. Y ahora, si tienes la amabilidad de examinar el paquetito...

El comandante hizo lo que le decía. El paquete no tenía nada de particular. Era plano, como un trozo de masilla, o... Oh, no...

Bajo la materia selladora, parpadeaba una luz roja.

—¡A volar, pequeño duende! —exclamó la voz—. Y diles a tus amigos que Artemis Fowl II les manda saludos.

Junto a la luz roja, unos símbolos verdes empezaron a emitir un ruidito seco y a seguir un ritmo sincronizado. Remo los reconoció de su clase de estudios humanos en los años que había pasado en la Academia. Eran... números. Números que retrocedían. ¡Una cuenta atrás!

—*D'Arvit!* —exclamó Remo. (No tiene sentido traducir esta expresión porque habría que censurarla.)

Se volvió y echó a correr por el pasillo mientras las risas burlonas de Artemis Fowl resonaban por el conducto metálico.

—Tres —dijo el humano—. Dos...

—*D'Arvit* —repitió Remo.

El pasillo le parecía mucho más largo que antes. Un pedazo de cielo estrellado asomaba por la rendija de una puerta abierta. Remo activó las alas: iba a tener que echar mano de todas sus dotes de volador para salir airoso de allí. La envergadura del Colibrí era apenas un poquitín más estrecha que el pasillo del barco.

—Uno.

Empezaron a salir chispas cuando las alas electrónicas rozaron una de las tuberías protuberantes. Remo dio una voltereta y se enderezó a una velocidad de mach 1.

—¡Cero! —exclamó la voz—. ¡Pum!

En el interior del paquete envasado al vacío, estalló un detonador, que prendió fuego a un kilo de Semtex puro. La reacción candente devoró el oxígeno de alrededor en un nanosegundo y siguió el camino de menor resistencia, que era, por supuesto, justo detrás del comandante Remo.

Remo se quitó la visera y aceleró al máximo. La puerta estaba a unos metros de distancia, sólo era cuestión de ver quién llegaría antes a ella: el duende o la bola de fuego.

Lo consiguió. Por los pelos. Sintió cómo la explosión hacía vibrar su torso al arrojarse en una espiral inversa. Las llamas le alcanzaron el mono y le lamieron las piernas. Remo prosiguió su maniobra y fue a caer directamente en el agua helada. Subió a la superficie soltando palabrotas a diestro y siniestro.

Por encima de su cabeza, el ballenero había quedado completamente abrasado por las llamas tóxicas.

—Comandante —oyó cómo lo llamaba una voz por el auricular. Era Potrillo. Estaba otra vez dentro de cobertura—. Comandante, ¿cuál es su situación?

Remo se zafó de las garras del agua.

—Mi situación, Potrillo, es de un cabreo absoluto. Poneos delante de los ordenadores. Quiero saber todo lo que tenéis sobre un tal Artemis Fowl, y quiero saberlo antes de regresar a la base.

—Sí, señor comandante. Enseguida.

No le había soltado ninguna gracia. Hasta Potrillo se había dado cuenta de que no era el momento de hacer chistes.

Remo ascendió hasta trescientos metros. Por debajo de él, el ballenero en llamas hizo que acudieran los vehículos de emergencia como las moscas a la miel. El comandante se quitó los hilos chamuscados de los codos. Juró que se vengaría de aquel Artemis Fowl. Palabra de honor.

CAPÍTULO VI: EL ASEDIO

ARTEMIS se arrellanó en la silla giratoria de cuero del estudio, sonriendo y con los dedos entrelazados. Perfecto. Esa explosión de poca monta debería borrar de un plumazo la actitud caballerosa de aquellos pequeños gnomos. Además, ahora había un ballenero menos en el mundo. A Artemis Fowl no le gustaban los balleneros: había formas menos desagradables de obtener productos derivados de la grasa.

La cámara microscópica oculta en el localizador había funcionado de maravilla. Con sus imágenes de alta resolución había captado las señales delatoras de la respiración del duende.

Artemis consultó el monitor de vigilancia del sótano. Su prisionera estaba sentada en el catre, con la cabeza apoyada en las manos. Artemis frunció el ceño. No esperaba que la duendecilla pareciese tan... humana. Hasta entonces habían sido unas simples presas, animales a los que cazar, pero ahora, el hecho de ver a uno de ellos sufriendo de una forma tan evidente cambiaba las cosas.

Artemis puso el ordenador en el modo de suspensión y se dirigió a la puerta principal. Había llegado el momento de charlar un poco con su invitada. Justo cuando apoyaba los dedos en los tiradores de latón, la puerta se abrió ante él. Juliet apareció en el quicio con las mejillas sonrojadas por las prisas.

—Artemis —dijo entre jadeos—. Es tu madre. Dice...

Artemis sintió que se le encogía el estómago.

—¿Sí?

—Bueno, dice, Artemis... Artemis, que tu...

—Sí, Juliet, por el amor de Dios, ¿qué pasa?

Juliet se tapó la boca con las manos para tratar de serenarse. Al cabo de unos segundos separó las uñas brillantes y habló a través de los dedos.

—Se trata de su padre, señor. De Artemis padre. ¡La señora Fowl dice que ha vuelto!

Por una décima de segundo, Artemis habría jurado que se le había parado el corazón. ¿Su padre? ¿Había vuelto? ¿Era posible? Por supuesto, siempre había creído que su padre estaba vivo, pero últimamente, desde que había puesto en marcha aquel plan con los seres mágicos, era casi como si su padre hubiese pasado a un segundo plano.

Artemis notó que un sentimiento de culpa le agarrotaba el estómago. Se había olvidado. Se había olvidado de su propio padre.

—¿Lo has visto, Juliet? ¿Con tus propios ojos?

La chica hizo un movimiento negativo con la cabeza.

—No, Artemis..., señor. Sólo he oído voces, en el dormitorio, pero su madre no me ha dejado entrar. Bajo ningún pretexto, ni siquiera para llevarle una taza de caldo caliente.

Artemis se quedó pensativo. Habían vuelto hacía una hora escasa. Su padre podía haber entrado a escondidas sin que lo viera Juliet. Era posible. Sólo posible. Consultó su reloj, sincronizado con la hora de Greenwich mediante señales de radio constantemente actualizadas. Las tres de la mañana. El tiempo pasaba muy deprisa. Todo su plan dependía de que los duendes realizasen su próximo movimiento antes del amanecer.

Artemis se puso en marcha. Lo estaba haciendo de nuevo, apartando a la familia a un lado. ¿En qué se estaba convirtiendo? Su padre era la máxima prioridad en esos momentos, y no un plan para hacerse de oro.

Juliet seguía en el quicio de la puerta, observando aquellos enormes ojos azules. Estaba esperando que Artemis tomase una decisión, como hacía siempre. Pero por una vez, la indecisión ensombrecía aquellas facciones pálidas.

—Muy bien —murmuró al fin—. Será mejor que vaya inmediatamente.

Artemis pasó junto a la chica y subió los escalones de dos en dos. La habitación de su madre estaba dos plantas más arriba, en un desván reformado.

Al llegar a la puerta, se detuvo con gesto vacilante. ¿Qué diría si era verdad que su padre había vuelto milagrosamente? ¿Qué haría? Era absurdo planteárselo. Imposible de predecir. Llamó a la puerta con suavidad.

—¿Madre?

No obtuvo respuesta, pero creyó oír una risa nerviosa que lo transportó de inmediato al pasado. Al principio, aquella habitación había sido la sala de estar de sus padres, que se pasaban horas sentados en la *chaise longue*, riendo como críos pequeños, dando de comer a las palomas o viendo navegar los barcos por el paso de Dublín. Cuando Artemis padre desapareció, Angeline Fowl le había ido cogiendo cada vez más apego a aquella habitación hasta el extremo de llegar a negarse a salir de ella nunca más.

—¿Madre? ¿Estás bien?

Oyó unas voces amortiguadas en el interior de la habitación. Susurros de complicidad.

—Madre, voy a entrar.

—Espera un momento. ¡Timmy! ¡Para ya, bruto! Tenemos compañía.

¿Timmy? El corazón le dio un vuelco. Timmy, el apodo cariñoso con que su madre solía llamar a su padre. Timmy y Arty. Los dos hombres de su vida. Ya no podía esperar más. Artemis irrumpió en la habitación a través de las puertas dobles.

Su primera impresión fue de luminosidad. Su madre había encendido las lámparas, una buena señal sin duda. Artemis sabía dónde estaría su madre. Sabía exactamente adónde mirar, pero no podía. ¿Y si...? ¿Y si...?

—¿Sí? ¿Qué quieres?

Artemis se volvió sin dejar de mirar al suelo.

—Soy yo.

Su madre se echó a reír con una risa etérea y despreocupada.

—Ya veo que eres tú, Papá. ¿Es que no puedes darle a tu chico ni siquiera una noche libre? Al fin y al cabo, es nuestra luna de miel...

Artemis lo supo entonces. Todo era producto de la locura de su madre, que cada vez iba a peor. ¿Papá? Angeline pensaba que Artemis era su propio abuelo, que había muerto hacía más de diez años. Levantó la mirada despacio.

Su madre estaba sentada en la *chaise longue*, resplandeciente con su vestido de novia y con la cara embadurnada torpemente de maquillaje. Pero eso no era lo peor.

Junto a ella había un facsímil de su padre, hecho con el traje de novio que había llevado aquel glorioso día en la Catedral de Christchurch catorce años atrás. El traje estaba relleno de pañuelos de papel y encima de la camisa había una funda de almohada rellena con los rasgos faciales dibujados con lápiz de labios. Casi resultaba divertido. Artemis contuvo una lágrima y sus esperanzas se esfumaron como un arco iris de verano.

—¿Qué te parece, Papá? —dijo Angeline con voz grave, manejando la almohada como un ventrílocuo con su muñeco—. Una noche libre para tu chico, ¿eh?

Artemis asintió con la cabeza. ¿Qué otra cosa podía hacer?

—De acuerdo, una noche. Tómate mañana libre también. Que lo paséis bien.

El rostro de Angeline se iluminó con una felicidad radiante. Se levantó de un salto de la butaca y abrazó a su hijo sin reconocerlo.

—Gracias, Papá. Muchas gracias.

Artemis le devolvió el abrazo, aunque se sintió como un traidor.

—De nada, Ma... Angeline. Y ahora, tengo que irme. Tengo negocios que atender.

Su madre se sentó junto a la imitación de marido.

—Sí, Papá. Vete y no te preocupes. Sabremos cómo divertirnos.

Artemis se marchó sin mirar hacia atrás. Tenía cosas que hacer, duendes a los que extorsionar. No tenía tiempo para el mundo de fantasía de su madre.

La capitana Holly Canija tenía la cabeza enterrada en las manos. En una mano, para ser exactos. Con la otra estaba hurgando en el costado de su bota, bajo el ángulo ciego de la cámara. En realidad, tenía la cabeza completamente despejada, pero no haría ningún daño; que el enemigo la creyese todavía fuera de combate. De ese modo, tal vez la subestimarían, y ese sería el único error que volverían a cometer en su vida.

Los dedos de Holly se cerraron en torno al objeto que se le había estado clavando en el tobillo. Supo inmediatamente por su contorno que estaba escondida allí. ¡La bellota! Debía de habérsele metido por la bota durante todo el jaleo junto al roble. Aquello podía ser un hecho vital. Lo único que necesitaba era un pedacito de tierra y luego recuperaría todos sus poderes.

Holly examinó con mirada furtiva el interior de su celda. Tenía aspecto de estar hecha de cemento fresco. No había una sola grieta ni un rincón desconchado en las paredes. No había dónde esconder su arma secreta. Holly se levantó con movimiento vacilante, poniendo a prueba sus piernas para ver si eran capaces de sostenerla. No estaba mal, las rodillas un poco temblorosas, pero, por lo demás, podía moverse sin problemas. Atravesó la habitación hasta llegar a una de las paredes y apoyó la mejilla y las palmas de las manos contra la suave superficie. Tenía razón, el cemento estaba fresco, una obra muy reciente. Todavía tenía zonas húmedas. Era obvio que le habían preparado su prisión expresamente.

–¿Buscas algo? –preguntó una voz, una voz fría y despiadada.

Holly se apartó de la pared. El chico humano estaba de pie a apenas dos metros de ella, con los ojos ocultos tras unas gafas de espejo. Había entrado en la habitación sin hacer un solo ruido. Extraordinario.

–Siéntate, por favor.

Holly no quería sentarse por favor. Lo que quería hacer era incapacitar a aquel renacuajo insolente con el codo y utilizar su piel como abrigo. Artemis vio reflejadas sus intenciones en sus ojos y aquello le hizo mucha gracia.

–¿Se te está ocurriendo alguna idea, capitana Canija?

Holly le enseñó los dientes, lo cual era respuesta suficiente.

–Ambos sabemos perfectamente cuáles son las reglas en estos momentos, capitana. Esta es mi casa y tienes que acatar mis deseos. Lo dicen vuestras propias leyes, no las mías. Evidentemente, entre mis deseos no se encuentra el que me hagas ningún daño físico ni que intentes escaparte de esta casa.

De repente, Holly se dio cuenta.

–¿Cómo sabes mi...?

–¿Tu nombre? ¿Tu rango? –Artemis sonrió, aunque no había atisbo de alegría en su sonrisa–. Si llevas una chapa con tu nombre...

Holly se tapó inconscientemente con la mano la chapa plateada que llevaba clavada en el traje.

–Pero está escrito en...

–Gnómico. Ya lo sé. Resulta que es un idioma que se me da muy bien. Como a todos los miembros de mi equipo.

Holly se quedó en silencio unos instantes, procesando aquella insólita revelación.

–Fowl –empezó a decir con entusiasmo–, no tienes ni idea de lo que has hecho. Unir nuestros dos mundos de este modo podría significar una auténtica catástrofe para todos.

Artemis se encogió de hombros.

–La verdad, no me preocupan todos, sólo me preocupo por mí mismo. Y créeme, estaré perfectamente. Y ahora, siéntate, por favor.

Holly se sentó sin apartar sus ojos de color avellana del monstruo diminuto que tenía ante ella.

–Así que... ¿en qué consiste ese plan fabuloso que te traes entre manos, Fowl? Deja que lo adivine... ¿En dominar el mundo?

–No es tan melodramático –contestó Artemis con una carcajada–. Riqueza. Mucha riqueza.

–¡Un ladrón! –soltó Holly–. ¡Eres un simple ladrón!

Un gesto de enojo asomó al rostro de Artemis, que se transformó de inmediato en su sonrisa sarcástica habitual.

–Sí. Soy un ladrón, si lo prefieres. Pero no un simple ladrón. El primer ladrón que roba a otra especie del mundo.

La capitana Canija dio un resoplido.

–¿El primer ladrón que roba a otra especie, dices? Los Fangosos lleváis años robándonos. ¿Por qué crees tú que vivimos bajo tierra?

–Eso es cierto, pero seré el primero en conseguir arrebatar a un duende su oro.

–¿Oro? ¿Qué oro? ¡Humano idiota! ¿No creerás en serio todas esas paparruchas del caldero de oro? Algunas cosas no son verdad, ¿sabes?

Holly echó la cabeza hacia atrás y empezó a reírse.

Artemis se miró las uñas con actitud paciente, esperando a que la elfa acabase de reírse. Cuando el ataque de risa cesó al fin, la amenazó con el dedo índice.

–Tienes razón al reírte, capitana Canija. Durante un tiempo, lo cierto es que sí creía en todas esas tonterías del caldero de oro al final del arco iris, pero ahora he aprendido muchas cosas. Ahora sé lo del fondo para rescates.

Holly hizo todo lo posible por disimular el horror que reflejaba su rostro.

—¿Qué fondo para rescates?

—Vamos, capitana. No te molestes en fingir que no sabes nada. Me lo has dicho tú misma.

—¿Que... que... que yo te lo he dicho? —tartamudeó Holly—. ¡Eso es ridículo!

—Mírate el brazo.

Holly se arremangó la manga derecha. Había un trocito de algodón pegado con una tirita a la vena.

—Ahí fue donde te administramos el pentotal, conocido popularmente como el suero de la verdad. Cantaste como un pajarito.

Holly sabía que no le estaba mintiendo. ¿Cómo si no podía saberlo?

—¡Estás loco!

Artemis asintió con aire indulgente.

—Si gano, soy un genio. Si pierdo, estoy loco. Así es como se escribe la historia.

Por supuesto, no había habido ninguna dosis de pentotal, sólo un pinchazo inofensivo con una aguja esterilizada. Artemis no podía arriesgarse a provocarle una lesión cerebral a su gallina de los huevos de oro, como tampoco podía revelar que el Libro era su auténtica fuente de información. Era mejor dejar que la prisionera creyese que había traicionado a su propia gente. Aquello le destrozaría la moral y la haría más vulnerable a sus chantajes psicológicos. Y sin embargo, su propia artimaña le molestaba. Era muy cruel, sin duda alguna. ¿Hasta dónde estaba dispuesto a llegar para conseguir su oro? No lo sabía, ni lo sabría hasta que llegase el momento.

Holly sufrió un bajón, derrotada momentáneamente por los últimos acontecimientos. Había hablado. Había revelado secretos sagrados. Aunque lograse escapar de allí, la desterrarían a algún túnel congelado bajo el Círculo Polar Ártico.

—Esto no ha terminado todavía, Fowl —lo amenazó al fin—. Tenemos poderes que ni te imaginas. Tardaría días enteros en describírtelos todos.

El chico exasperante se echó a reír de nuevo.

—¿Cuánto tiempo crees que llevas aquí?

Holly dejó escapar un gemido: se imaginaba cuál iba a ser la respuesta.

—¿Unas horas?

Artemis negó con la cabeza.

—Tres días —mintió—. Te hemos puesto el suero durante más de sesenta horas... hasta que nos has dicho todo cuanto queríamos saber.

A medida que iban saliéndole las palabras, Artemis se fue sintiendo cada vez más culpable. Saltaba a la vista que aquellos jueguecitos psicológicos estaban haciendo mella en Holly, destrozándola por dentro. ¿De verdad era necesario todo aquello?

—¿Tres días? Podíais haberme matado. ¿Qué clase de...?

Y fue en el momento en que la elfa se quedó sin palabras cuando las dudas se apoderaron del cerebro de Artemis. La duendecilla lo creía tan malvado que ni siquiera encontraba palabras para describirlo.

Holly intentó recobrar su aplomo.

–Muy bien, señorito Fowl –escupió, con el asco reflejado en sus palabras–, si tanto sabes de nosotros, entonces sabes ya lo que ocurrirá cuando me localicen.

Artemis asintió con gesto distraído.

–Sí, claro. Lo sé. De hecho, cuento con ello.

Le había llegado el turno a Holly de sonreír.

–Ah, ¿de verdad? Y dime, chico, ¿has visto alguna vez a un trol?

Por primera vez, la seguridad del humano pareció menguar de repente.

–No. A un trol, nunca.

Holly le enseñó aún más los dientes.

–Lo verás, Fowl. Lo verás. Y espero estar allí cuando eso ocurra.

La PES había establecido una base de operaciones especiales en la superficie de E1: Tara.

–¿Y bien? –preguntó Remo apartando de un manotazo a un gremlin que intentaba aplicarle en la frente un bálsamo para quemaduras–. Déjalo. La magia hará que me recupere enseguida.

–Y bien, ¿qué? –repuso Potrillo.

–No me vengas con tus impertinencias, Potrillo, porque hoy no es uno de esos días de «¡Oh, qué impresionado estoy con la tecnología del poni!». Dime lo que has averiguado sobre el humano.

Potrillo frunció el ceño, ajustándose la gorra de aluminio entre los cuernos espirales. Abrió la tapa de un ordenador portátil delgadísimo.

—He entrado de extranjis en la página de la Interpol. No ha sido demasiado difícil, la verdad. Para eso, ya podían haber puesto un felpudo de bienvenida y todo...

Remo tamborileó con los dedos sobre la mesa de reuniones.

—Empieza ya.

—De acuerdo. Fowl. Un archivo de diez gigabytes. En papel, eso es media biblioteca.

El comandante lanzó un silbido.

—Eso es lo que se llama un humano ocupado.

—Una familia —lo corrigió Potrillo—. Los Fowl llevan generaciones burlando a la justicia: conspiraciones, contrabando, atraco a mano armada... Crimen organizado todo este último siglo, básicamente.

—¿Y tenemos un centro de operaciones?

—Eso ha sido lo más fácil. La mansión Fowl, en una finca de ochenta hectáreas a las afueras de Dublín. La mansión Fowl está sólo a unos veinte *klicks* de nuestra posición actual.

Remo se mordisqueó el labio inferior.

—Eso significa que podríamos llegar antes del amanecer.

—Sí. Podríamos solucionar todo este asunto antes de que se nos escape de las manos a la luz del sol.

El comandante asintió. Aquellas eran las primeras noticias positivas. Los duendes llevaban siglos sin actuar con luz natural. Incluso en los tiempos en que vivían en la superficie, eran sobre todo criaturas de la noche. La luz del sol diluía su magia como cuando desteñía una fotografía. Si tenían que esperar otro día para enviar a las fuerzas de ataque, quién sabe el daño que podría llegar a hacer Fowl...

Cabía incluso la posibilidad de que todo aquel asunto estuviese relacionado con los medios de comunicación y que para la tarde del día siguiente, la cara de la capitana Canija apareciese en la portada de las publicaciones de todo el planeta. Remo sintió un escalofrío. Eso significaría el fin de todo, a menos que los Fangosos hubiesen aprendido a coexistir con otras especies, y si había aprendido algo de la historia, era que son incapaces de convivir con nadie, ni siquiera consigo mismos.

—Muy bien, todo el mundo listo. Modelo de vuelo en V. Estableced un perímetro en el terreno de la mansión.

El Escuadrón de Recuperación dio unos gruñidos militares afirmativos como respuesta y todos los agentes especiales hicieron el máximo posible de ruidos metálicos con sus armas.

—Potrillo, tú te ocuparás de los aspectos técnicos. Síguenos en la lanzadera y tráete las parabólicas grandes. Vamos a acordonar toda la propiedad con ellas, a ver si así hacemos un poco de sitio para poder respirar a nuestras anchas.

—Una cosa, comandante —reflexionó Potrillo en voz alta.

—¿Sí? —contestó Remo con impaciencia.

—¿Por qué nos ha dicho el humano quién era? Seguramente sabía que daríamos con él.

Remo se encogió de hombros.

—A lo mejor no es tan listo como piensa.

—No. No creo que sea eso. No creo que sea eso en absoluto. Creo que ha ido un paso por delante de nosotros todo este tiempo, y ahora ocurre lo mismo.

—Ahora no tengo tiempo para teorías, Potrillo. Se acerca el amanecer.

—Otra cosa más, comandante.

—¿Es importante?

—Sí, creo que sí.

—¿De qué se trata?

Potrillo pulsó una tecla de su portátil y examinó la información básica que había sobre Artemis.

—Este criminal peligroso, el cerebro que hay tras la operación...

—Sí, ¿qué pasa?

Potrillo alzó la vista casi con una expresión de admiración en sus ojos dorados.

—Bueno, pues que sólo tiene doce años. Y eso es ser muy joven, incluso para un humano.

Remo dio un resoplido e insertó una nueva batería en su fulminador de tres cañones.

—Seguro que ve demasiada televisión. Se cree que es Sherlock Holmes.

—Querrá decir el profesor Moriarty —lo corrigió Potrillo.

—Holmes, Moriarty..., los dos tienen el mismo aspecto con el cráneo chamuscado y la piel arrancada a tiras.

Y con aquella elegante respuesta de despedida, Remo siguió a su escuadrón para adentrarse en el aire de la noche.

El Escuadrón de Recuperación adoptó la formación de vuelo en V con Remo a la cabeza. Volaron en dirección sudoeste, siguiendo la información de vídeo que el correo electrónico enviaba a sus cascos. Potrillo incluso había señalado la mansión Fowl con un puntito rojo. «A prueba de tontos», había murmurado en el micrófono, lo bastante alto para que Remo lo oyera.

La parte central de la finca de los Fowl estaba ocupada por un castillo reformado de finales de la Edad Media y principios de la Moderna construido por lord Hugh Fowl en el siglo XV.

Los Fowl habían logrado conservar intacta la mansión Fowl a través de los años, que había sobrevivido a la guerra, las confrontaciones civiles y varias auditorías fiscales. Artemis no tenía ninguna intención de ser el primero en perderla.

La finca estaba rodeada por una muralla de piedra almenada de cinco metros, con sus torres de vigilancia y puentes originales. El Escuadrón de Recuperación aterrizó justo en los límites y realizó inmediatamente un escaneo en busca de posibles elementos hostiles.

—Separación de veinte metros —ordenó Remo—. Barred toda el área y realizad las comprobaciones cada sesenta segundos. ¿Entendido?

El escuadrón asintió. Pues claro que lo habían entendido, por algo eran profesionales.

El teniente Cudgeon, el jefe del Escuadrón de Recuperación, se subió a una de las torres de vigilancia.

—¿Sabes qué es lo que deberíamos hacer, Julius?

Él y Remo habían ido juntos a la Academia y se habían criado en el mismo túnel. Cudgeon era uno de los tal vez cinco duendes que llamaban a Remo por su nombre de pila.

—Ya sé qué es lo que crees que deberíamos hacer.

—Deberíamos volar el lugar entero.

—Menuda sorpresa...

—De la forma más limpia posible. Un lavado azul y nuestras bajas serán mínimas.

Un *lavado azul* era la expresión en jerga para designar la devastadora bomba biológica que las fuerzas utilizaban en contadas ocasiones. Lo mejor de una bomba biológica era que sólo destruía los tejidos vivos. El paisaje permanecía intacto.

—Resulta que esas bajas mínimas de las que hablas es una de mis agentes.

—Ah, sí —dijo Cudgeon con una mueca de desprecio—. Una agente femenina de Reconocimiento. El caso experimental. Bueno, no creo que tengas ningún problema para justificar una solución táctica.

El rostro de Remo adquirió su tono púrpura habitual.

—Lo mejor que puedes hacer ahora mismo es apartarte de mi camino, o de lo contrario me veré obligado a hacerte un lavado azul en esa bolsa de serrín a la que llamas cerebro.

Cudgeon permaneció impasible.

—Con insultarme no cambias los hechos, Julius. Ya sabes lo que dice el Libro. No podemos, bajo ninguna circunstancia, poner en peligro a los Elementos del Subsuelo. Sólo necesitas detener el tiempo una vez y luego...

El teniente no terminó la frase, no era necesario.

—Ya sé lo que dice el Libro —rezongó Remo—, pero ojalá no fueses un fanático de él. Si no te conociese bien, pensaría que corre algo de sangre humana por tus venas.

—Eso ha sido un golpe bajo —repuso Cudgeon haciendo un mohín de enfado—. Sólo hago mi trabajo.

—Tienes razón —concedió el comandante—. Lo siento.

No era muy frecuente oír disculparse a Remo, pero lo cierto es que había sido un insulto tremendamente ofensivo.

Mayordomo estaba observando los monitores.

—¿Ves algo? —preguntó Artemis.

Mayordomo se sobresaltó: no había oído entrar a su joven amo.

–No, nada. Una o dos veces me ha parecido ver un parpadeo, pero era una falsa alarma.

–Una alarma siempre es una alarma –afirmó Artemis en tono enigmático–. Utiliza la cámara nueva.

Mayordomo asintió. Hacía sólo un mes, el amo Fowl había adquirido una cinecámara por Internet. Dos mil fotogramas por segundo, diseñada recientemente por la empresa Luz y Magia Industrial para filmaciones especiales en entornos naturales, alas de Colibrí y cosas por el estilo. Procesaba las imágenes con mayor rapidez que el ojo humano. Artemis había hecho que la instalaran detrás de un querubín en la entrada principal.

Mayordomo activó el ratón especial.

–¿Dónde?

–Prueba con la arboleda. Tengo el presentimiento de que nuestros visitantes andan por ahí.

El sirviente manipuló el minúsculo *joystick* con sus dedazos. Una imagen en directo cobró vida en el monitor digital.

–Nada –murmuró Mayordomo–. Parece un cementerio.

Artemis señaló la mesa de control.

–Congélala.

Mayordomo estuvo a punto de cuestionar la orden. A punto. Sin embargo, optó por morderse la lengua y pulsó el botón del ratón. En la pantalla, los cerezos se quedaron inmóviles y sus flores atrapadas en el aire. Pero aún más importante: casi una docena de figuras vestidas de negro aparecieron de repente en la arboleda.

–¿Qué? –exclamó Mayordomo–. ¿De dónde han salido?

—Llevan un escudo protector —le explicó Artemis— que vibra a gran velocidad. Demasiado rápido para el ojo humano.

—Pero no para la cámara —señaló Mayordomo. Así era el amo Artemis. Siempre dos pasos por delante—. Ojalá me lo pudiera poner yo.

—Ojalá. Pero sí tenemos un arma suya también muy útil...

Artemis levantó con cuidado unos auriculares de la mesa de trabajo. Eran los restos del casco de Holly. Obviamente, intentar encasquetar la cabeza de Mayordomo en el casco original habría sido como intentar meter una patata en un dedal. Sólo la visera y los botones de control estaban intactos. Le había colocado provisionalmente las tiras de otro casco para que se ajustara al cráneo del sirviente.

—Este cacharro está equipado con varios filtros. Es lógico suponer que uno de ellos es el antiescudo. Probémoslo, ¿de acuerdo?

Artemis colocó el artilugio en las orejas de Mayordomo.

—Evidentemente, con tu capacidad de visión, vas a tener varios puntos ciegos, pero eso no debería representar un problema excesivo. Y ahora, pon en marcha la cámara.

Mayordomo puso la cámara en funcionamiento mientras Artemis colocaba un filtro tras otro.

—¿Ahora?

—No.

—Y ahora...

—Todo se ha vuelto de color rojo. Ultravioleta. No veo ningún duende.

—¿Y con este?

—No. Polaroid, creo.

—El último.

Mayordomo esbozó una sonrisa. Como un tiburón que hubiese visto un apetitoso trasero.

—Ya los tengo.

Mayordomo veía el mundo tal como era, con el equipo de Recuperación de la PES al completo campando por la arboleda.

—Hum... —exclamó Artemis—. Yo diría que es una variación estroboscópica. La frecuencia es muy alta.

—Ya veo —mintió Mayordomo.

—¿Metafórica o literalmente? —inquirió su jefe con una sonrisa.

—Exactamente.

Artemis estaba maravillado. Más chistes. Sólo le faltaba ponerse ropa de payaso y dar volteretas en el salón principal.

—Muy bien, Mayordomo. Ha llegado el momento de que hagas lo que mejor sabes hacer. Parece ser que tenemos intrusos en la propiedad...

Mayordomo se levantó. No hacían falta más instrucciones. Se aseguró las correas del casco y se dirigió con brusquedad hacia la puerta.

—Ah, Mayordomo...

—¿Sí, Artemis?

—Prefiero que les des un susto de muerte. Si es posible.

Mayordomo asintió con la cabeza.

—Si es posible.

El equipo número uno de Recuperación era el mejor y el más inteligente. El sueño de todo duende pequeño era hacerse mayor y llegar a ponerse el mono negro de camuflaje de los comandos de Recuperación. Eran los cuerpos de elite.

«Camorra» era su sobrenombre. En el caso del capitán Kelp, Camorra era su nombre de pila. Había insistido en ello el día de su ceremonia de graduación, justo después de haber sido aceptado en la Academia.

Camorra condujo a su equipo por el paseo de la arboleda. Como de costumbre, se puso a la cabeza, decidido a ser el primero en entrar en la pelea si, tal como deseaba con toda su alma, llegaba el momento de pelear.

—Comprobación —susurró al micrófono que se enroscaba como una serpiente a su casco.

—Negativo en el uno.

—Nada, capitán.

—Nada de nada, Camorra.

El capitán Kelp se estremeció.

—Estamos en terreno de combate, cabo. Limítate a seguir el procedimiento habitual.

—¡Pero mamá dijo...!

—¡No me importa lo que haya dicho mamá, cabo! ¡El rango es el rango! Te referirás a mí como al capitán Kelp.

—Sí, señor capitán —contestó el cabo con gesto enfurruñado—. Pero no me pidas nunca más que te planche la túnica.

Camorra dejó abierto el canal de comunicación de su hermano y cerró los del resto del escuadrón.

—Cállate ya con lo de mamá, ¿vale? Y con respecto a la plancha... ¡Estás en esta misión sólo porque yo lo he solicitado! ¡Y ahora, empieza a actuar como un profesional o regresa al perímetro!

—Vale, Camo.

—¡Camorra! —gritó el capitán Kelp—. Es Camorra, no Camo, ni Cami. ¡Camorra! ¿De acuerdo?

—Vale. Camorra. Mamá tiene razón, eres un crío.

Soltando una palabrota tras otra de forma muy poco profesional, el capitán Kelp sintonizó el casco de nuevo en la frecuencia general, y lo hizo justo a tiempo para oír un ruido muy extraño:

—Arrkk.

—¿Qué ha sido eso?

—¿El qué?

—No sé.

—Nada, capitán.

Pero Camorra había hecho un cursillo de perfeccionamiento en Reconocimiento de Sonido para su examen de capitán y estaba seguro de que el «Arrkk» lo había provocado alguien que acababa de darse un golpe a la altura de la tráquea. Lo más probable era que su hermano se hubiese tropezado con un arbusto.

—¿Grub? ¿Estás bien?

—Soy el cabo Grub para ti.

Kelp le dio una patada brutal a una margarita.

—Comprobación. Sonido apagado en secuencia.

—Uno, sin novedad.

—Dos, bien.

—Tres, aburrido pero vivo.

—Cinco, acercándose al ala oeste.

Kelp se paró en seco.

—Esperad. ¿Cuatro? ¿Estás ahí, cuatro? ¿Cuál es tu posición?

—.............. —No se oían más que interferencias.

—De acuerdo. Cuatro ha caído. Seguramente se trata de un fallo del equipo, pero no podemos correr ningún riesgo. Agrupaos en la puerta principal.

El equipo de Recuperación Uno se reagrupó, con un poco más de sigilo que una araña. Kelp hizo un rápido recuento. Once. Sólo faltaba un miembro del equipo. Seguramente, Cuatro estaba merodeando por los rosales preguntándose por qué nadie le hablaba.

En ese momento, Camorra advirtió dos cosas: una, un par de botas asomaba por un arbusto que había junto a la puerta, y dos, había un humano gigante de pie en la entrada. La figura llevaba apoyada en la parte interior del codo un arma que tenía una pinta temible.

—Silencio todos —ordenó Kelp en un susurro, e inmediatamente once viseras de cobertura total se deslizaron hacia abajo para insonorizar los ruidos de la respiración y las comunicaciones de su escuadrón—. Bueno, que no cunda el pánico. Me parece que sé cómo se han producido los hechos. Cuatro está merodeando por la parte exterior de la puerta, el Fangoso la abre y Cuatro recibe un golpe con ella en plena cocorota y aterriza en los arbustos. Ningún problema. Nuestro camuflaje sigue intacto. Repito: intacto. Así que no os pongáis nerviosos, por favor. Grub... Perdón, cabo Kelp, comprueba las constantes vitales de Cuatro. El resto, retroceded y no hagáis ruido.

El escuadrón retrocedió con cautela hasta llegar al borde del césped cuidado. La figura que tenían ante ellos era muy impresionante, sin duda el humano más grande que cualquiera de ellos hubiese visto jamás.

—*D'Arvit* —exclamó Dos entre dientes.

—Mantened el silencio por radio, salvo en caso de emergencia —ordenó Kelp—. Las palabrotas no son ninguna emergencia.

—Sin embargo, por dentro Camorra estaba completamente de acuerdo con su subordinado. Esta era una de esas veces en las que se alegraba de llevar el escudo protector. Aquel hombre parecía capaz de aplastar a media docena de duendes de un solo manotazo.

Grub regresó a su posición.

–Cuatro está estable. Tiene una conmoción, creo, pero por lo demás está bien. No lleva el escudo puesto, así que lo he escondido en los arbustos.

–Bien hecho, cabo. Una buena maniobra.

Lo último que necesitaban era que aquel humano viese las botas de Cuatro.

El hombre se movió y echó a andar pesadamente y con tranquilidad por el camino. Podía haber mirado a la derecha o a la izquierda, era difícil saberlo con aquella capucha que le tapaba los ojos. Qué raro que un humano llevase puesta una capucha en una noche tan agradable como aquella...

–Quitad los seguros –ordenó Camorra.

Se imaginó a sus hombres poniendo los ojos en blanco. ¡Como si no hubiesen quitado los seguros hacía ya media hora! Sin embargo, tenía que seguir el reglamento, por si acaso luego había que testificar ante un tribunal. Hubo una época en que Recuperación disparaba primero y respondía a las preguntas después, pero ahora ya no era así. Ahora siempre había algún civil cargado de buenas intenciones sermoneando sobre los derechos civiles. ¡Hasta en el mundo de los humanos! ¿A que era increíble?

El hombre-montaña se detuvo justo en mitad del escuadrón. De haber podido verlos, habría sido la posición táctica perfecta. Sus propias armas de fuego eran prácticamente inútiles, puesto que lo más probable era que se hiciesen más daño con ellas unos a otros que al humano.

Por fortuna, el escuadrón al completo era invisible con la excepción de Cuatro, que estaba bien escondido en lo que parecía un rododendro.

—Porras eléctricas. Cargadlas.

Sólo por si acaso. No perdían nada siendo prudentes.

Y cuando los agentes de la PES estaban cambiando de armas, justo en el momento en que tenían las manos ocupadas con las fundas de las pistolas, fue cuando el Fangoso habló.

—Buenas noches, caballeros —dijo al tiempo que se quitaba la capucha.

Qué gracia, pensó Camorra. Era casi como si... Entonces vio las gafas improvisadas.

—¡A cubierto! —gritó—. ¡A cubierto!

Pero era demasiado tarde. No les quedaba otra opción que quedarse allí y luchar. Y esa no era una buena opción.

Mayordomo podía habérselos cargado a todos desde el parapeto. Uno por uno, con el rifle del cazador de marfil. Sin embargo, ese no era el plan. Todo consistía en causar una determinada impresión, en enviar un mensaje. Era un procedimiento estándar en todas las fuerzas policiales del mundo enviar primero a la carne de cañón antes de abrir negociaciones. Era casi como si esperaran encontrar algún tipo de resistencia, y para Mayordomo era todo un placer no defraudarlos.

El sirviente se asomó al buzón y cuál no sería su sorpresa cuando vio que un par de ojos ocultos tras unas gafas lo miraban a él también. La coincidencia era demasiado feliz como para dejarla pasar sin más.

—Hora de irse a la cama —anunció Mayordomo al tiempo que empujaba la puerta con un poderoso golpe de hombro.

El duende salió volando por los aires varios metros antes de aterrizar en los arbustos. Juliet iba a llevarse un gran disgusto. Le encantaban los rododendros. Uno menos. Todavía quedaban varios.

Mayordomo se puso la capucha picuda de su chaqueta de entrenamiento y salió al porche. Ahí estaban, desparramados por todas partes como un escuadrón de Action Men. De no ser por la variedad del sofisticado armamento que les colgaba del cinto, le habrían resultado hasta graciosos.

Deslizando el dedo como si tal cosa por el seguro del gatillo, Mayordomo avanzó hasta colocarse en medio del batallón. El más corpulento, el que estaba a las dos en punto, era el que daba las órdenes. Era evidente por el modo en que las cabezas se volvían hacia él.

El líder dio una orden y el comando cambió de armas para utilizar las de corto alcance. Tenía sentido, puesto que con las otras sólo habrían logrado aniquilarse unos a otros. Había llegado la hora de entrar en acción.

—Buenas noches, caballeros —dijo Mayordomo. No pudo evitarlo, y valió la pena por aquel momento de consternación. Luego sacó el arma y empezó a disparar.

El primero en caer fue el capitán Kelp, después de que un dardo con la punta de titanio le atravesara el cuello de su uniforme. Cayó al suelo lentamente como si el aire se hubiese convertido en agua. El gigante abatió a dos miembros más del escuadrón antes de que supieran qué estaba pasando.

«Debe de ser bastante traumático —dijo Mayordomo para sus adentros— perder una ventaja con la que has contado durante siglos.»

Para entonces, los supervivientes de Recuperación Uno tenían las porras eléctricas encendidas y en alto, pero cometieron el error de quedarse quietos, esperando una orden que no iba a llegar. Aquello le dio a Mayordomo la oportunidad de emprenderla contra ellos. Como si le hiciese falta más ventaja...

Aun así, el sirviente vaciló unos instantes. Aquellos seres eran tan diminutos... Como niños. Entonces Grub le pinchó en el codo con su porra eléctrica y una descarga de mil voltios sacudió el pecho de Mayordomo. Toda su simpatía por aquellos enanitos se esfumó en un instante.

Mayordomo agarró la porra atacante y zarandeó el arma y a su dueño como si fueran las boleadoras de los gauchos. Grub chilló al quedar liberado y el impulso lo catapultó directamente encima de tres de sus compañeros.

Mayordomo siguió ejecutando el movimiento giratorio y dio varios puñetazos de castigo contra el pecho de dos duendes más. Otro de ellos se le encaramó a la espalda y empezó a golpearle repetidas veces con la porra. Mayordomo cayó de espaldas encima de su agresor. Se oyó un crujido y los golpes cesaron.

De repente, sintió que le clavaban el cañón de un arma debajo de la barbilla. Uno de los miembros de Recuperación había conseguido desenfundar su arma.

—Quieto, Fangoso —le ordenó una voz filtrada por el casco. Aquel arma parecía cosa seria, con un líquido refrigerante que burbujeaba por toda su longitud—. Sólo tienes que darme una razón para dispararte.

Mayordomo puso los ojos en blanco. Puede que fuesen una raza diferente, pero las bravuconadas de machito eran las mismas. Se quitó al duende de encima de un manotazo. Para el hombrecillo, aquello debió de ser como si el cielo entero le hubiese aplastado la cabeza.

—¿Te parece, esa, razón suficiente?

Mayordomo se levantó. Los cuerpos de los duendes estaban desparramados a su alrededor en diversos estados de *shock* e inconsciencia. Asustados, desde luego. Muertos, probablemente no. Misión cumplida.

Sin embargo, uno de los enanitos se estaba haciendo el muerto. Saltaba a la vista por el modo en que le temblaban las rodillas. Mayordomo lo agarró por el cuello, juntando el dedo gordo y el índice con facilidad en la espalda del gnomo.

—¿Nombre?

—G... Grub..., digo..., cabo Kelp.

—Muy bien, cabo, dile a tu comandante que la próxima vez que vea entrar a sus fuerzas armadas en esta propiedad, los aniquilaré con francotiradores. Nada de dardos la próxima vez. Proyectiles a prueba de chaquetas antibalas.

—Sí, señor. Francotiradores. Entendido. Parece justo.

—Bien. Sin embargo, tenéis permiso para retirar a vuestros heridos.

—Muy generoso por su parte.

—Pero si veo aunque sea el brillo de un arma en cualquiera de los médicos, puede que sienta la tentación de hacer detonar unas cuantas de las minas que he plantado en el terreno.

Grub tragó saliva y fue palideciendo por momentos detrás de la visera.

—Médicos desarmados. Claro como el agua.

Mayordomo dejó al enano en el suelo y le desempolvó la túnica con sus dedos enormes.

—Y ahora, una última cosa, ¿estás escuchando?

El duende asintió frenéticamente.

–Quiero un negociador. Alguien que pueda tomar decisiones. No quiero a ningún segundón que tenga que volver corriendo a la base después de discutir cualquier exigencia. ¿Lo has entendido?

–Ningún problema. Bueno, no creo que haya ningún problema. Por desgracia, yo sólo soy uno de esos segundones, así que verá, lo cierto es que no puedo garantizarle que no vaya a haber ningún problema...

Mayordomo sintió una enorme tentación de enviar a aquel enanito de vuelta a su base de una patada en el trasero.

–Muy bien. Lo entiendo, pero... ¡cierra el pico!

Grub estuvo a punto de decir algo para darle la razón, pero cerró la boca y asintió con la cabeza.

–Así me gusta. Ahora, antes de irte, recoge todas las armas y los cascos y haz un montoncito con ellos justo aquí.

Grub inspiró hondo. Bueno, por qué no morir como un héroe...

–No puedo hacer eso que me pide.

–¿Ah, no? ¿Y por qué no?

Grub se irguió al máximo para parecer más alto.

–Un agente de la PES nunca entrega su arma al enemigo.

Mayordomo asintió.

–Me parece justo, pero tenía que intentarlo. Entonces, vete ya.

Casi sin creer la suerte que había tenido, Grub se escabulló a toda prisa hacia la torre de mando. Era el último duende que quedaba en pie. Camorra estaba roncando en la gravilla, pero él, Grub Kelp, se había enfrentado al Monstruo Fangoso. «Espera a que mamá se entere...»

Holly se agachó junto a la orilla de la cama con los dedos enroscados en la base metálica. La levantó despacio, haciendo recaer todo el peso en sus brazos. El esfuerzo amenazó con desencajarle los codos. Sostuvo el armazón en el aire un segundo y luego lo dejó caer al suelo de cemento. Alrededor de sus rodillas se formó una bonita nube de astillas y polvo.

–Bien –murmuró.

Holly miró a la cámara. Sin duda, la estaban vigilando. No tenía tiempo que perder. Flexionó los dedos, repitiendo la maniobra una y otra vez hasta que la base de acero le dejó unas marcas profundas en las articulaciones de los dedos. Con cada nuevo impacto, cada vez se levantaban más astillas del suelo fresco.

Al cabo de unos momentos, la puerta de la celda se abrió de golpe y Juliet entró en la habitación.

–¿Qué estás haciendo? –le preguntó, lanzando un suspiro–. ¿Es que intentas echar abajo la casa?

–¡Tengo hambre! –gritó Holly–. Y estoy harta de hacer señales a esa cámara estúpida. ¿Es que aquí no dais de comer a los prisioneros? ¡Quiero algo de comida!

Juliet apretó el puño. Artemis le había advertido que fuese amable, pero su paciencia tenía un límite.

–No hace falta que grites. Bueno, ¿qué coméis los duendes?

–¿Tienes carne de delfín? –preguntó sarcásticamente.

Juliet sintió un escalofrío.

–¡No, claro que no, bestia inmunda!

–Entonces, fruta. O verdura. Y asegúrate de que esté bien lavada. No quiero que ninguno de vuestros productos químicos venenosos me pase a la sangre.

—Ja, ja, qué graciosa eres... No te preocupes, cultivamos todos nuestros productos de manera natural. —Juliet se detuvo de camino a la puerta—. Y que no se te olviden las reglas. No intentes escaparte de la casa. Y tampoco hace falta que rompas los muebles. No hagas que te demuestre mis habilidades.

En cuanto dejó de oír los pasos de Juliet, Holly empezó a golpear la cama contra el suelo de cemento. Ese era el truco con los duendes: había que dar las instrucciones cara a cara, mirándolos a los ojos, y tenían que ser instrucciones muy precisas. Decir simplemente que no hacía falta hacer una cosa no era prohibir a un elfo que lo hiciese, al menos no en sentido literal. Y otra cosa, Holly no tenía ninguna intención de escaparse de la casa, lo cual no quería decir que no fuese a salir de la celda.

Artemis había añadido otro monitor a la mesa de trabajo. Este estaba conectado a una cámara en la habitación del desván de Angeline Fowl. Encontró un momento para ver qué hacía su madre. A veces le molestaba haber instalado una cámara en su habitación porque era casi como estar espiándola, pero era por su propio bien. Siempre existía el peligro de que se hiciese daño a sí misma. En ese momento estaba durmiendo apaciblemente, después de ingerir el somnífero que Juliet le había dejado en la bandeja. Todo como parte del plan. Una parte vital, como se verá después.

Mayordomo entró en la sala de control. Llevaba en la mano un puñado de trastos pertenecientes a los duendecillos y se estaba frotando el cuello.

—Malditos enanos traviesos...

Artemis levantó la vista de la hilera de monitores.

—¿Has tenido algún problema?

—Nada importante, pero estas porras de aquí producen unas descargas bastante dolorosas. ¿Cómo está nuestra prisionera?

—Bien. Juliet le está preparando algo de comer. Me temo que la capitana Canija está perdiendo la chaveta.

En la pantalla, Holly estaba golpeando el catre contra el suelo de cemento.

—Es comprensible —comentó el sirviente—. Imagina su frustración. No es que pueda cavar un túnel para escaparse, precisamente.

Artemis sonrió.

—No. Toda la casa está construida sobre cimientos de piedra caliza. Ni siquiera un enano podría cavar un túnel para escapar de aquí. Ni para entrar.

Lo cual era un error, como se demostró después. Craso error. Un momento histórico para Artemis Fowl.

La PES disponía de diversos procedimientos para emergencias como aquella. Había que reconocer que entre ellos no se incluía que el Escuadrón de Recuperación fuese machacado por un solo enemigo, pero eso sólo hacía el siguiente paso mucho más urgente, sobre todo ahora que una débil luz anaranjada comenzaba a teñir el horizonte.

—¿Listos para entrar en acción? —rugió Remo a su micrófono, como si este no fuese sensible a los susurros.

«Listos para entrar en acción», pensó Potrillo mientras sujetaba con un cable la última parabólica en una torre de vigilancia. Aquellos militares y sus frasecitas en argot... «Listos para entrar en acción, armados, sí señor; no sé lo que hago pero obedecer es mi obligación. Siempre tan inseguros...»

—No hace falta que grite, comandante —dijo en voz alta—. Estos auriculares son capaces de captar el ruido de una araña rascándose en Magadascar.

—¿Y hay una araña rascándose en Madagascar?

—Pues... no lo sé. La verdad es que no pueden...

—¡Bueno, deja ya de cambiar de tema, Potrillo, y responde a la pregunta!

El centauro frunció el ceño. El comandante se lo tomaba todo al pie de la letra. Conectó el cable del módem de la parabólica a su portátil.

—De acuerdo. Estamos... listos para entrar en acción.

—Pues ya era hora. Bien, dale al interruptor.

Por tercera vez en otros tantos momentos, Potrillo apretó sus dientes caballunos. Era, sin duda alguna, el típico genio infravalorado. «Dale al interruptor, por favor.» Remo no poseía la capacidad craneal para valorar lo que estaba intentando hacer en esa misión.

Detener el tiempo no era sólo una cuestión de apretar el botón de «On», sino que había toda una serie de procedimientos muy delicados que debían realizarse con la máxima precisión. De lo contrario, la zona de detención podía acabar como un vertedero de cenizas y radioactividad.

Si bien era cierto que los duendes llevaban milenios deteniendo el tiempo, en aquella época, con la comunicación por satélite e Internet, los humanos podían notar si una zona había permanecido detenida en el tiempo durante un par de horas. Hubo una época en que podían cubrir un país entero con un manto de parada de tiempo y los Fangosos creían, simplemente, que los dioses estaban enfadados. Pero ahora las cosas eran distintas. En la era de la tecnología y el progreso, los humanos tenían instrumentos para medirlo todo, por lo que si había que realizar una maniobra para parar el tiempo, lo mejor era que fuese elaborada y precisa.

Antiguamente, cinco esclavos elfos formaban un pentágono alrededor del objetivo y arrojaban un escudo mágico sobre él que detenía el tiempo de forma provisional dentro del recinto encantado.

El método solía funcionar la mayoría de las veces, siempre y cuando a los esclavos no les diesen ganas de ir al baño. Muchos asedios se habían perdido por culpa de un elfo que había bebido más vino de la cuenta. Además, los esclavos se cansaban muy deprisa, y se les dormían los brazos. En un día bueno, tal vez conseguías una hora y media, lo cual ni siquiera merecía tanto esfuerzo, dicho sea de paso.

Fue idea de Potrillo mecanizar todo el procedimiento. Había equipado a los esclavos con baterías de litio y luego había instalado una red de antenas parabólicas receptoras alrededor del área en cuestión. ¿Parece simple? Bueno, pues no lo era. Sin embargo, aquello tenía sus ventajas. En primer lugar, se acabaron las subidas de tensión. Las baterías no necesitaban demostrarse unas a otras quién era la más fuerte. Se podía calcular exactamente cuántas células de energía se necesitaban, y la duración de los asedios se podía ampliar hasta ocho horas.

La casualidad quiso que la finca de los Fowl fuese el lugar idóneo para una parada de tiempo: aislado y con unos límites bien definidos. ¡Pero si hasta disponía de torres elevadas para colocar las antenas! Era casi como si Artemis Fowl quisiese que detuvieran el tiempo... El dedo de Potrillo vaciló unos instantes encima del botón. ¿Sería posible? Al fin y al cabo, el jovencísimo humano había ido por delante de ellos todo este tiempo.

—¿Comandante?

—¿Ya estamos conectados?

—No exactamente. Hay algo que...

La reacción de Remo por poco hace estallar los bafles del auricular de Potrillo.

—¡No, Potrillo! ¡No hay nada! No quiero oír ninguna de tus ideas brillantes, muchísimas gracias. ¡La vida de la capitana Canija está en peligro, así que pulsa ese botón antes de que me suba a la torre y lo pulse yo mismo con tu cabeza!

—¡Qué susceptible! —exclamó Potrillo, y pulsó el botón.

El teniente Cudgeon consultó su lunómetro.

—Tienes ocho horas.

—Ya sé cuánto tiempo tengo —gruñó Remo—. Y deja ya de seguirme. ¿No tienes trabajo que hacer?

—De hecho, ahora que lo dices, tengo que armar una biobomba.

Remo se encaró con él.

—No me hagas enfadar, teniente. Tener que oír tus comentarios cada dos por tres no me ayuda a concentrarme. Haz lo que creas que tengas que hacer, pero prepárate para defender tus decisiones ante un tribunal. Si esto sale mal, van a rodar cabezas.

—Y que lo digas —masculló Cudgeon—, pero la mía no va a ser una de ellas.

Remo examinó el cielo. Un manto de color azul brillante había descendido sobre la propiedad de los Fowl. Bien. Estaban en el limbo. Fuera de la muralla, la vida seguía a un ritmo frenético, pero si a alguien se le ocurría acercarse hasta allí, en lugar de los muros fortificados y la verja alta, encontraría el lugar desierto, con sus ocupantes atrapados en el pasado.

Así pues, durante las ocho horas siguientes, reinaría la penumbra en el territorio Fowl. Después de aquello, Remo no podría garantizar la seguridad de Holly. Dada la gravedad de la situación, era más que probable que Cudgeon obtuviese el visto bueno para volar por los aires todo el lugar con su biobomba. Remo ya había visto un lavado azul alguna vez. Ningún ser vivo escapaba con vida, ni siquiera las ratas.

Remo alcanzó a Potrillo en la base de la torre Norte. El centauro había aparcado una lanzadera junto a la pared de un metro de grosor. El área de trabajo ya era un embrollo de cables enmarañados y vibrantes transmisiones por fibra óptica.

–¿Potrillo? ¿Estás aquí?

La cabeza de aluminio del centauro surgió de las entrañas de un disco duro destripado.

–Estoy aquí, comandante. Supongo que ha venido a pulsar un botón con mi cabeza.

Remo estuvo a punto de echarse a reír.

–No me digas que esperas que me disculpe, Potrillo. Hoy ya he gastado mi cupo de disculpas, y ha sido con un amigo de toda la vida.

–¿Se refiere a Cudgeon? Perdóneme, comandante, pero yo no malgastaría mis disculpas con el teniente. Él no malgastará ninguna con usted cuando le clave un puñal por la espalda.

–Te equivocas con él. Cudgeon es un buen agente. Un poco impaciente, eso desde luego, pero hará lo correcto cuando llegue el momento.

—Lo correcto para él tal vez. No creo que Holly se encuentre a la cabeza de su lista de prioridades.

Remo no respondió. No podía.

—Y otra cosa: tengo la ligera sospecha de que el joven Artemis Fowl quería que parásemos el tiempo desde el principio. Al fin y al cabo, le hemos estado siguiendo el juego todo este tiempo.

Remo se frotó las sienes.

—Eso es imposible. ¿Cómo iba a saber el humano lo de la parada de tiempo? Además, no es el momento para teorías, Potrillo. Tengo menos de ocho horas para resolver este lío, así que ¿qué tienes para mí?

Potrillo se acercó a un estante sujeto a la pared con toda clase de equipamiento.

—Nada de armamento pesado, eso seguro. No después de lo que les ha pasado a Recuperación Uno. Nada de cascos tampoco: ese Fangoso brutote parece hacer colección. No, para demostrar nuestra buena fe, vamos a enviarle desarmado y sin escudo.

Remo soltó un bufido.

—¿De qué manual has sacado eso?

—Es el procedimiento operativo estándar. Fomentando la confianza se acelera la comunicación.

—¡Deja ya de citar frases célebres y dame algo con lo que disparar!

—Haga lo que quiera —respondió Potrillo lanzando un suspiro y escogiendo del estante lo que parecía un dedo.

—¿Qué es eso?

—Es un dedo. ¿Qué parece?

—Un dedo —admitió Remo.

—Sí, pero no es un dedo cualquiera. —Miró a su alrededor para asegurarse de que no los veía nadie—. En la punta lleva un dardo a presión. Sólo podrá dispararlo una vez. Cuando presione el nudillo con el dedo gordo, alguien se quedará dormido *ipso facto*.

—¿Por qué no lo he visto antes?

—Es un invento que llevamos en secreto...

—¿Y? —preguntó Remo con aire suspicaz.

—Bueno, ha habido varios accidentes...

—Cuéntamelo, Potrillo.

—Nuestros agentes se olvidan de que lo llevan puesto.

—Quieres decir que se disparan a sí mismos.

Potrillo asintió con gesto abatido.

—Uno de nuestros mejores duendes se estaba hurgando la nariz en ese momento. Estuvo tres días en cuidados intensivos.

Remo se enroscó el artilugio en el dedo índice, donde inmediatamente adoptó la forma y el color del dedo original.

—No te preocupes, Potrillo. No soy del todo idiota. ¿Algo más?

Potrillo descolgó lo que parecía un culo de goma del estante con el equipo.

—¡Me estás tomando el pelo! ¿Para qué sirve eso?

—Para nada —admitió el centauro—, pero la gente se ríe mucho con él en las fiestas.

Remo soltó una carcajada. Y luego otra. Aquello era todo un récord para él.

—Bueno, se acabaron las frivolidades. ¿Me vas a conectar?

—Naturalmente. Una cámara en el iris. ¿De qué color? —Escrutó los ojos del comandante—. Hum. Marrón barro. —Escogió una ampollita del estante y extrajo la lente de contacto electrónica de una cápsula de líquido. Separando los párpados superior e inferior del comandante con el dedo índice y el pulgar, le insertó la iris-cam—. Puede que esto le irrite el ojo. Intente no restregárselo o la cámara podría acabar en la parte posterior. Entonces estaríamos viéndole el interior de la cabeza, y ahí no hay nada interesante, como sabe todo el mundo.

Remo parpadeó y se aguantó las ganas de frotarse el ojo lloroso.

—¿Eso es todo?

Potrillo hizo un gesto afirmativo con la cabeza.

—Eso es todo lo que podemos arriesgar.

El comandante asintió de mala gana. Notaba la cadera demasiado ligera sin el peso de su fulminador de tres cañones.

—De acuerdo. Supongo que este asombroso dedo-dardo servirá. Te lo digo en serio, Potrillo, como este cacharro me explote en la cara, te enviaré en la próxima lanzadera de vuelta a Refugio.

El centauro soltó una carcajada.

—Tenga cuidado cuando vaya al lavabo.

A Remo no le hizo ninguna gracia. Había cosas con las que no se podía bromear.

El reloj de Artemis se había parado. Era como si Greenwich hubiese desaparecido. «O tal vez somos nosotros los que hemos desaparecido», reflexionó. Comprobó la CNN. Se había congelado. Una fotografía de Riz Khan temblequeaba ligeramente en la pantalla. Artemis no pudo reprimir una sonrisa de satisfacción. Lo habían hecho, tal como decía el Libro: la PES acababa de detener el tiempo. Todo evolucionaba según el plan.

Había llegado el momento de comprobar una teoría. Artemis acercó la silla a la hilera de monitores y conectó la Mam-Cam en el monitor principal de setenta centímetros. Angeline Fowl ya no estaba en la *chaise longue*. Artemis echó un vistazo con la cámara por toda la habitación. Estaba vacía. Su madre se había ido, había desaparecido. Sonrió de oreja a oreja. Perfecto. Tal como él sospechaba.

A continuación, Artemis dedicó su atención a Holly Canija. Otra vez estaba golpeando la cama. A ratos se levantaba del colchón y pegaba puñetazos contra la pared con los puños desnudos. Tal vez fuese algo más que frustración. ¿Y si no estaba tan loca como parecía? Le dio unos golpecitos al monitor con un dedo delgadísimo.

—¿Qué te propones, capitana? ¿Cuál es tu plan?

Lo distrajo un movimiento en el monitor de la arboleda.

—Por fin —exclamó entre dientes—. Empieza la acción.

Una figura avanzaba por el paseo central, pequeña pero imponente pese a todo. También iba sin escudo. Se acabó jugar al ratón y al gato, entonces.

Artemis pulsó el botón del intercomunicador.

—¿Mayordomo? Tenemos una visita. Iré a recibirlo. Tú vuelve aquí y supervisa las cámaras de vigilancia.

La voz de Mayordomo respondió con acento metálico a través del altavoz.

—Recibido. Ahora mismo voy para allá.

Artemis se abotonó la chaqueta de diseño exclusivo y se detuvo ante el espejo para retocarse la corbata. El truco de toda negociación consistía en llevar siempre las mejores cartas y, aunque no fuese así, aparentar que las llevabas.

Artemis echó mano de su cara más siniestra. «Malvado —se

dijo a sí mismo–, malvado pero muy inteligente. Y decidido, no olvides parecer decidido. –Puso la mano en el tirador de la puerta–. Y ahora, cuidado. Inspira hondo y trata de no pensar en la posibilidad de que puedas haber calculado mal las consecuencias de la situación y estés a punto de recibir un tiro en la cabeza. Uno, dos, tres...» Abrió la puerta.

–Buenas noches –dijo, con la actitud del perfecto anfitrión, aunque un anfitrión siniestro, malvado, inteligente y decidido.

Remo estaba de pie en la puerta con las manos arriba, el gesto universal que equivalía a decir: «Mira, no voy armado».

–¿Eres Fowl?

–Artemis Fowl, a su servicio. ¿Y usted es…?

–El comandante Remo de la PES. Bien, ahora que ya sabemos cómo se llama cada cual, ¿podemos empezar de una vez con esto?

–Por supuesto.

Remo decidió probar suerte.

–Entonces, sal aquí fuera, donde pueda verte.

Artemis endureció el gesto.

–¿Es que no ha aprendido nada de mis demostraciones? ¿El barco? ¿Los comandos? ¿Voy a tener que matar a alguien o qué?

–No –se apresuró a decir Remo–. Yo sólo...

–Usted sólo quería hacerme salir afuera para poder apresarme y luego hacer un canje de rehenes, ¿a que sí? Por favor, comandante Remo, utilice otra táctica o envíe a alguien inteligente.

Remo sintió que la sangre afluía a sus mejillas.

–Escúchame, mocoso...

Artemis sonrió, al mando de nuevo.

—Comandante, no es una buena técnica de negociación perder los nervios sin ni siquiera habernos sentado a la mesa.

Remo inspiró hondo varias veces.

—De acuerdo. Como tú digas. ¿Dónde prefieres que tengamos las conversaciones?

—Dentro, por supuesto. Tiene mi permiso para entrar, pero recuerde: la vida de la capitana Canija está en sus manos. Tenga cuidado con ella.

Remo siguió a su anfitrión por el vestíbulo abovedado. Varias generaciones de Fowl lo observaban desde sus retratos clásicos. Atravesaron una puerta de roble con vidrieras que conducía a una sala de reuniones alargada. Había dos sitios preparados en la mesa redonda con cuadernos de notas, ceniceros y jarras de agua.

A Remo le alegró ver los ceniceros e inmediatamente extrajo un habano a medio fumar de su chaleco.

—Puede que no seas tan bárbaro, después de todo —comentó lanzando un gruñido y exhalando una enorme nube de humo verde. El comandante hizo caso omiso de las jarras de agua y en su lugar se sirvió un trago de un líquido morado de una petaca. Dio un sorbo prolongado, eructó y se sentó.

—¿Preparado? —Artemis ordenó sus notas, como un locutor de informativos—. Esta es la situación tal como yo la veo: dispongo de los medios para revelar al mundo su existencia subterránea, y usted no puede impedírmelo; de modo que, básicamente, lo que pido es un precio razonable.

Remo escupió un trozo de tabaco de setas.

—¿Crees que puedes distribuir toda esa información por Internet así, sin más?

—Bueno, no inmediatamente, no mientras tenga efecto la parada de tiempo.

Remo se atragantó con el humo. Su mejor baza. Hizo un ruido sordo.

—Bueno, si sabes lo de la parada del tiempo, supongo que sabes también que estás completamente incomunicado con el mundo exterior. En realidad, no puedes hacer absolutamente nada.

Artemis garabateó unas notas en el cuaderno.

—Vamos a ver si nos ahorramos un poco de tiempo. Estoy empezando a hartarme de sus faroles estúpidos. En caso de abducción, la PES envía primero uno de los mejores equipos de Recuperación para recobrar lo que han perdido. Eso ya lo han hecho. Permítame que me ría. ¿Uno de los mejores equipos? La verdad, una patrulla de *boy scouts* armados con pistolas de agua los podría haber derrotado sin problemas.

Remo estaba que echaba chispas, así que la tomó con la colilla de su habano.

—El siguiente paso oficial es la negociación. Y finalmente, cuando el límite de tiempo de ocho horas está a punto de expirar, si no se puede alcanzar ningún acuerdo, se hace detonar una biobomba dentro de los límites del campo temporal.

—Pareces saber un montón de cosas sobre nosotros, señor Fowl. Supongo que no me vas a decir cómo...

—Correcto.

Remo aplastó los restos de su habano en el cenicero de cristal.

—Bien, vayamos al grano, entonces. ¿Cuáles son tus exigencias?

—Una exigencia. En singular.

Artemis le pasó el cuaderno de notas por encima de la mesa reluciente. Remo leyó lo que había escrito allí.

–Una tonelada de oro de veinticuatro quilates. En lingotes pequeños y sin marcar. Tiene que ser una broma.

–No, no es ninguna broma.

Remo se adelantó en la silla.

–¿Es que no lo ves? Tu situación es insostenible. O nos devuelves a la capitana Canija o nos veremos obligados a mataros a todos. No hay término medio. No negociamos, esa es la verdad. Sólo estoy aquí para explicarte los hechos.

Artemis esbozó su sonrisa de vampiro.

–Ya, pero va a negociar conmigo, comandante.

–¿Ah, sí? ¿Y qué te hace tan especial?

–Soy especial porque sé cómo escapar del campo temporal.

–Imposible –bramó Remo–. Eso no se puede hacer.

–Ya lo creo que se puede. Confíe en mí, todavía no me he equivocado.

Remo arrancó la primera página del cuaderno y se la guardó en el bolsillo.

–Tendré que pensarlo.

–Tómese el tiempo que necesite. Nos quedan ocho horas..., perdón, siete horas y media. Luego, se habrá acabado el tiempo para todo el mundo.

Remo se quedó un largo rato en silencio, tamborileando con las uñas en la superficie de la mesa. Inspiró hondo para decir algo, pero lo pensó mejor y se levantó de golpe.

–Estaremos en contacto. No te preocupes, encontraré la salida.

Artemis retiró la silla hacia atrás.

—Está bien, pero recuerde: nadie de su raza tiene permiso para entrar aquí mientras yo esté vivo.

Remo avanzó por el vestíbulo, volviendo la cabeza para contemplar los óleos. Lo mejor era marcharse ahora y procesar la nueva información. Sin duda, el chico Fowl era un oponente muy escurridizo, pero estaba cometiendo un error básico: dar por sentado que Remo iba a seguir las reglas del juego. Sin embargo, Julius Remo no había conseguido sus galones de comandante por seguir las reglas de un libro. Había llegado el momento de poner en práctica otros métodos menos ortodoxos.

Los expertos estaban revisando la cinta de vídeo de la iriscam de Remo.

—¿Ven eso de ahí? —señaló el profesor Cumulus, un especialista en ciencias del comportamiento—. Ese tic. Está mintiendo.

—Tonterías —repuso el doctor Argon, un psicólogo de debajo de Estados Unidos—. Le pica el ojo, eso es todo. Le pica y por eso se rasca. No veo nada siniestro en eso.

Cumulus se dirigió a Potrillo.

—¿Lo ves? ¿Cómo se supone que puedo trabajar con este charlatán?

—Hechicero —replicó Argon.

Potrillo levantó sus manos peludas.

—Caballeros, por favor. Necesitamos un poco de consenso. Un perfil concreto.

—Es inútil —respondió Argon—. No puedo trabajar en estas condiciones.

Cumulus se cruzó de brazos.

—Si él no puede, yo tampoco.

Remo entró por las puertas dobles de la lanzadera. Su tez estaba más roja de lo habitual.

—Ese humano nos está toreando. No pienso tolerarlo. Bueno, ¿qué dicen nuestros expertos de la cinta?

Potrillo se apartó a un lado para que Remo tuviese más espacio para emprenderla con los supuestos expertos.

—Al parecer, no pueden trabajar en estas condiciones.

Remo entrecerró los ojos, colocando a su presa en el punto de mira.

—¿Cómo dices?

—El buen doctor es un imbécil —señaló Cumúlus, que no estaba familiarizado con el temperamento del comandante.

—¿Que... que... que soy un imbécil? —tartamudeó Argon, que tampoco conocía el mal genio del comandante—. ¿Y tú qué, duende cavernario? Basando tus absurdas interpretaciones en el más inocente de los gestos...

—¿Inocente? Ese chico está hecho un manojo de nervios. Salta a la vista que está mintiendo. Es de cajón.

Remo dejó caer un puño apretado sobre la mesa, que dibujó una telaraña de grietas sobre la superficie.

—¡Silencio!

Y se hizo silencio. Inmediatamente.

—Vamos a ver, a ustedes dos, expertos, se les paga un bonito sueldo por hacer su trabajo, ¿correcto?

La pareja hizo un movimiento afirmativo con la cabeza, con miedo de hablar para no romper la regla de silencio.

—Este puede ser el caso de sus vidas, así que quiero que se concentren bien concentrados, ¿entendido?

Más movimientos afirmativos.

Remo se quitó la cámara de su ojo lloroso.

—Córrela hacia delante, Potrillo. Hacia el final.

La cinta avanzó hacia delante de forma irregular. En la pantalla, Remo seguía al humano a la sala de reuniones.

—Ahí. Párala ahí. ¿Puedes hacer un *zoom* sobre su cara?

—¿Puedo hacer un *zoom* sobre su cara? —se burló Potrillo—. ¿Puede un enano robarle la telaraña a una araña?

—Sí —contestó Remo.

—En realidad, era una pregunta retórica.

—No necesito lecciones de gramática, Potrillo. Limítate a hacer ese *zoom*, ¿quieres?

A Potrillo le rechinaron sus dientes inmensos.

—Vale, jefe. Allá va.

Los dedos del centauro aporrearon el teclado a una velocidad vertiginosa. El rostro de Artemis se amplió hasta ocupar la totalidad de la pantalla de plasma.

—Les aconsejo que estén atentos —dijo Remo al tiempo que les apretaba los hombros a los expertos—. Este es un momento fundamental en sus carreras.

—Soy especial —articuló la boca de la pantalla— porque sé cómo escapar del campo temporal.

—Y ahora, díganme —ordenó Remo—: ¿está mintiendo?

—Vuelva a pasar la imagen —pidió Cumulus—. Enséñeme los ojos.

Argon asintió.

—Sí. Sólo los ojos.

Potrillo golpeó unas cuantas teclas más y los penetrantes ojos azules de Artemis inundaron la pantalla.

—Soy especial —repitió la voz humana— porque sé cómo escapar del campo temporal.

–¿Y bien? ¿Está mintiendo?

Cumulus y Argon se miraron el uno al otro. Cualquier rastro de antagonismo había desaparecido.

–No –respondieron de forma simultánea.

–Está diciendo la verdad –añadió el especialista en comportamiento.

–O al menos –aclaró el psicólogo– cree que está diciendo la verdad.

Remo se enjuagó el ojo con una solución limpiadora.

–Eso creía yo. Cuando miré a ese humano a la cara, pensé que era un genio o un loco.

Los fríos ojos de Artemis los observaban desde la pantalla.

–¿Y qué es? –inquirió Potrillo–. ¿Un genio o un loco?

Remo cogió su fulminador de tres cañones del estante de las armas.

–¿Cuál es la diferencia? –respondió, al tiempo que se sujetaba su arma de confianza a la cadera–. Consígueme una línea exterior con E1. Ese tal Fowl parece conocer todas nuestras reglas, así que ha llegado la hora de romper unas cuantas.

CAPÍTULO VII: MANTILLO

 ES EL MOMENTO de presentar a un nuevo personaje en nuestra historia de gnomos y duendes. Bueno, en realidad no se trata de un personaje nuevo porque ya lo hemos encontrado antes, en la cola de la comisaría de la PES, donde fue detenido bajo acusación de haber cometido numerosos robos: se trata nada más y nada menos que de Mantillo Mandíbulas, el enano cleptómano. Un individuo más que sospechoso, incluso para alguien como Artemis Fowl. Como si este relato no estuviese ya suficientemente plagado de individuos amorales.

Nacido en el seno de una típica familia de enanos habitantes de una cueva, Mantillo había decidido a edad muy temprana que la minería no era lo suyo, y optó por emplear su talento en otros menesteres, es decir, en excavar túneles y entrar en las propiedades de los demás, generalmente en las casas de los Fangosos. Por supuesto, aquello le costó perder sus poderes mágicos. Las casas eran sagradas; si rompías esa regla, tenías que estar dispuesto a aceptar las consecuencias. A Mantillo no le importó lo más mínimo. La verdad es que, de todos modos, la magia le importaba un pito. Nunca había resultado demasiado útil allá abajo, en las minas.

Las cosas le habían ido bastante bien durante varios siglos y había levantado un lucrativo negocio de venta de objetos de interés del mundo exterior. Eso fue hasta que intentó venderle la Copa Jules Rimet a un agente secreto de la PES. Desde entonces, su suerte había cambiado y lo habían arrestado más de veinte veces hasta la fecha. Se había pasado un total de trescientos años entrando y saliendo de la cárcel.

Mantillo sentía un apetito extraordinario por los túneles y eso, por desgracia, debe tomarse literalmente. Para aquellos que no estén familiarizados con la mecánica de la excavación de túneles de los enanos, trataré de explicársela con la mayor delicadeza posible. Como algunos miembros de la familia de los reptiles, los enanos macho pueden desencajar las mandíbulas, cosa que les permite ingerir varios kilos de tierra por segundo. Este material es procesado por un metabolismo extraordinariamente eficaz, que separa cualesquiera minerales que puedan resultar provechosos... y los expulsa por el otro lado, tal como suena. Una delicia, ¿verdad?

En el momento que nos ocupa, Mantillo estaba languideciendo en una celda de paredes de piedra en la Central de la PES o, al menos, estaba intentando proyectar la imagen de un enano impasible, que languidecía sin importarle nada. En realidad, estaba temblando dentro de sus botas de puntas de acero.

La guerra carcelera entre los enanos y los goblins estaba en su punto álgido, y a algún elfo lumbrera de la PES le había parecido una gran idea meterlo en una celda con una pandilla de goblins psicópatas. Tal vez había sido sólo un descuido, pero lo más probable es que fuese una venganza por haber intentado robar al agente que lo había detenido en la cola de la comisaría.

—Dime, enano —le espetó el líder de los goblins de la celda, un tipejo con cara de verruga y con el cuerpo plagado de tatuajes—, ¿cómo es que todavía no te has escapado de aquí excavando un túnel?

Mantillo dio un golpe en las paredes.

—Son de roca sólida.

El goblin se echó a reír.

—¿Y qué? No pueden ser más duras que tu mollera de enano.

Sus amigotes estallaron en carcajadas. Mantillo también lo hizo. Creyó que podía ser una maniobra inteligente. Se equivocaba.

—¿Te estás riendo de mí, enano?

Mantillo dejó de reírse.

—Contigo —le corrigió—. Me estoy riendo contigo. Ese chiste de la mollera ha sido muy gracioso.

El goblin avanzó unos pasos hasta que su nariz viscosa quedó a apenas un centímetro de la de Mantillo.

—¿Te estás quedando conmigo, enano?

Mantillo tragó saliva, evaluando la situación. Si desencajaba la mandíbula ahora, seguramente se zamparía al líder antes de que los demás tuviesen tiempo de reaccionar. Sin embargo, los goblins eran fatales para la digestión. Demasiados huesos.

El goblin blandió un puño amenazador envuelto en llamas.

—Te he hecho una pregunta, retaco.

Mantillo sintió que cada glándula sudorípara de su cuerpo se ponía a trabajar a toda pastilla. A los enanos no les gustaba el fuego. Ni siquiera les gustaba pensar en las llamas. A diferencia del resto de razas de seres mágicos, los enanos no sentían ningún deseo de vivir en la superficie. Demasiado cerca del sol. Resultaba irónico para alguien que traficaba con los objetos personales de los Fangosos.

—N... no... es necesario que te sulfures —tartamudeó—. Sólo pretendía ser amable.

—Amable —se burló Cara de Verruga—. Los de tu raza no conocéis el significado de esa palabra. Sois todos unos traidores cobardes.

Mantillo asintió con gesto diplomático.

—Sí, sí se dice por ahí que somos un poco traicioneros...

—¡Un poco traicioneros! ¡Un poco traicioneros! ¡Mi hermano Flema cayó en una emboscada que le tendieron unos enanos disfrazados de montones de estiércol! ¡Todavía tiene restos en el cuerpo!

Mantillo asintió con aire comprensivo.

—La vieja trampa de los montones de estiércol. Vergonzoso. Una de las razones por las que no me relaciono con la Hermandad.

Cara de Verruga hizo girar la bola de fuego entre los dedos.

—Hay dos cosas en este mundo que me dan ganas de vomitar.

Mantillo tuvo el presentimiento de que estaba a punto de averiguar cuáles eran esas dos cosas.

—Una es un enano apestoso...

Ninguna sorpresa de momento.

»… y la otra es un traidor para con los de su propia raza, y por lo visto, tú eres ambas cosas, no tengo ninguna duda.

Mantillo esbozó una débil sonrisa.

—¡Menuda suerte la mía!

—La suerte no tiene nada que ver. Ha sido la fortuna quien te ha dejado en mis manos.

Cualquier otro día, Mantillo le habría explicado que la suerte y la fortuna eran prácticamente lo mismo, pero no ese día.

—¿Te gusta el fuego, enano?

Mantillo negó con la cabeza.

Cara de Verruga sonrió de oreja a oreja.

—Vaya, qué pena… porque de un momento a otro te voy a meter esta bola de fuego por la garganta.

El enano tragó saliva de nuevo, pues tenía la boca seca. Aquello era muy propio de la Hermandad de los Enanos. ¿Qué es lo que más odian los enanos? El fuego. ¿Y quiénes son las únicas criaturas capaces de hacer bolas de fuego? Los goblins. Así que ¿con quiénes se metían los enanos? Había que ser muy idiota, desde luego.

Mantillo retrocedió hasta la pared.

—Cuidado. Podríamos quemarnos todos.

—Nosotros no —repuso Cara de Verruga mientras absorbía la bola de fuego por los dos agujeros de su nariz aguileña—. Estamos hechos a prueba de incendios.

Mantillo sabía perfectamente lo que sucedería a continuación. Lo había visto demasiadas veces en los callejones: un grupo de goblins acorralaba a un hermano enano perdido, lo inmovilizaba y luego el líder le soltaba dos perdigones de fuego directamente a la cara.

Los agujeros de la nariz de Cara de Verruga vibraron cuando se disponía a expulsar la bola de fuego que acababa de inhalar. Mantillo se echó a temblar. Sólo tenía una escapatoria. Los goblins habían cometido un error imperdonable: se habían olvidado de inmovilizarle los brazos.

El goblin abrió la boca para inspirar hondo y luego la cerró. Más presión de exhalación para el chorro de fuego. Inclinó la cabeza hacia atrás, apuntó al enano con la nariz y soltó el aire. Como un relámpago, Mantillo metió los pulgares en los agujeros de la nariz de Cara de Verruga. Repugnante, sí, pero era mucho mejor que acabar como un *kebab* de carne de enano.

La bola de fuego no tenía por dónde salir. Golpeó la yema de los pulgares de Mantillo y rebotó en la cabeza del goblin. Los conductos lacrimales facilitaron la vía de menor resistencia, de modo que las llamas se comprimieron en unos chorros presurizados y estallaron justo debajo de los ojos del goblin. Un mar de llamas se propagó hacia el techo de la celda.

Mantillo retiró los pulgares y, después de limpiárselos rápidamente, se los metió en la boca, dejando que el bálsamo natural de su saliva iniciase el proceso de curación. Por supuesto, si hubiese conservado su magia, podría haberse curado los dedos chamuscados mucho mejor, pero ese era el precio que había que pagar por toda una vida de delincuencia.

Cara de Verruga no había salido tan bien parado. Una columna de humo le chorreaba de cada orificio de la cabeza. Puede que los goblins estuviesen hechos a prueba de incendios, pero la bola de fuego perdida le había dejado las neuronas bien chamuscadas. Se balanceó como un junco y luego cayó boca abajo sobre el suelo de cemento. Se oyó un crujido. Probablemente de la narizota de un goblin.

Los demás miembros de la pandilla no reaccionaron demasiado bien.

–¡Mirad lo que le ha hecho al jefe!

–¡Maldito retaco apestoso!

–¡Vamos a freírlo!

Mantillo retrocedió unos cuantos pasos más. Esperaba que el resto de los goblins se achicaran al ver que su líder estaba fuera de combate, pero no había sido así. En contra de sus principios y de su propia forma de ser, a Mantillo no le quedó otra opción que prepararse para atacar.

Se desencajó la mandíbula y dio un salto hacia delante, pegando una dentellada alrededor de la cabeza del primer goblin.

–¡Ay! ¡Guítate de ahí! –gritó con el obstáculo del cuerpo del goblin en su boca–. ¡Guítate de ahí o gas a saguer o gue es güeno!

Los demás se quedaron paralizados, sin saber lo que hacer. Por supuesto, todos habían visto lo que los molares de un enano podían hacerle a la cabeza de un goblin. No era un espectáculo agradable.

Todos formaron una bola de fuego con el puño.

–¡E lo adguiertoo!

–No vas a poder con todos nosotros, retaco.

Mantillo venció el impulso de acabar de morder del todo. Es la más fuerte de las tentaciones de un enano, una impronta genética nacida de los milenios pasados excavando túneles. El hecho de que el goblin estuviese retorciéndose pegajosamente no ayudaba demasiado. Se le estaban acabando las opciones. La pandilla estaba avanzando y no podía hacer nada mientras tuviese la boca llena. Había llegado la hora de la verdad.

᠊᠊ ᠊᠊ ᠊᠊ ᠊᠊ ᠊᠊ ᠊᠊ ᠊᠊ ᠊᠊ ᠊᠊ ᠊᠊ ᠊᠊ ᠊᠊ ᠊᠊ ᠊᠊

De repente, la puerta de la celda se abrió y lo que parecía un escuadrón al completo de agentes de la PES invadió el reducido espacio. Mantillo notó el frío acero del cañón de un arma apuntándole a la sien.

—Escupe al prisionero —le ordenó una voz.

Mantillo estuvo encantado de obedecer. Un goblin cubierto de babas de pies a cabeza cayó al suelo haciendo arcadas.

—Y vosotros, goblins, apagad esas bolas de fuego.

Una a una, las bolas de fuego se fueron extinguiendo.

—No ha sido culpa mía —lloriqueó Mantillo, señalando al goblin con cara de verruga, que no dejaba de sufrir espasmos—. Le ha explotado la bola de fuego en la cara.

El agente enfundó el arma y extrajo un par de esposas.

—Me importa un bledo lo que os hagáis entre vosotros —dijo mientras inmovilizaba a Mantillo y le colocaba las esposas—. Si por mí fuera, os metería a todos en una habitación y volvería al cabo de una semana para limpiarla, pero el comandante Remo quiere verte en la superficie cuanto antes.

—¿Cuanto antes?

—Ahora, si no antes.

Mantillo ya conocía a Remo. El comandante era el responsable de varias de sus visitas al hotel del gobierno. Si Julius quería verlo, seguro que no sería para invitarlo a una copa y al cine.

—¿Ahora? ¡Pero si es de día! ¡Me quemaré!

El agente de la PES se echó a reír.

—No es de día en el lugar adonde vas a ir, amigo. A donde vas a ir, no es nada.

Remo estaba esperando al enano dentro del portal del campo temporal. El portal era otro de los inventos de Potrillo. Los seres mágicos podían entrar y abandonar el campo temporal sin afectar al flujo alterado que corría por el interior del campo, lo cual significaba, en la práctica, que aunque tardaron seis horas en traer a Mantillo a la superficie, en realidad lo introdujeron en el campo momentos después de que Remo tuviera la idea de ordenar que lo trajesen.

Era la primera vez que Mantillo estaba en un campo temporal. Se quedó de pie viendo cómo la vida seguía a un ritmo frenético fuera de la corona brillante. Los coches pasaban zumbados a velocidades imposibles y las nubes recorrían la línea del horizonte como si las impulsaran vientos de fuerza diez.

—Mantillo, pequeño depravado —rugió Remo—. Ya te puedes quitar ese traje. El campo está protegido contra los rayos UVA, o al menos, eso me han dicho.

Al enano le habían dado un traje de aislamiento de la luz en E1. Aunque los enanos tenían la piel gruesa, eran muy sensibles a la luz del sol y se quemaban en menos de tres minutos. Mantillo se quitó el traje ajustado.

—Me alegro de verte, Julius.

—Soy el comandante Remo, para ti.

—Es verdad, ahora eres comandante. Ya lo había oído. Un error del personal administrativo, ¿verdad?

Los dientes de Remo molieron su habano hasta convertirlo en una pasta.

—No tengo tiempo para esas insolencias, convicto. Y la única razón por la que no te pego un puntapié en el trasero ahora mismo es porque tengo una misión para ti.

Mantillo frunció el ceño.

—¿Convicto? Tengo un nombre, ¿sabes, Julius?

Remo se agachó hasta ponerse a la altura del enano.

—No sé en qué mundo de fantasía vives, convicto, pero en el mundo real eres un delincuente y mi trabajo consiste en hacerte la vida lo más desagradable posible, así que si esperas que sea amable contigo sólo porque he testificado contra ti unas quince veces... ¡olvídalo!

Mantillo se frotó las muñecas, donde las esposas le habían dejado unas marcas rojas.

—Está bien, comandante. No hace falta que te pongas hecho una fiera. No soy ningún asesino, ¿sabes? Sólo un delincuente de poca monta.

—Pues me han dicho que por poco asesinas a alguien ahí abajo en las celdas.

—No ha sido culpa mía. Ellos me atacaron primero.

Remo se introdujo un habano nuevo en la boca.

—Bueno, da igual. Tú sígueme y procura no robar nada.

—Sí, señor comandante —respondió Mantillo con aire inocente. No necesitaba robar nada más. Ya le había birlado la tarjeta de acceso al campo al comandante cuando este había cometido el error de agacharse.

Atravesaron el perímetro de Recuperación en dirección a la arboleda.

—¿Ves esa mansión de ahí?

—¿Qué mansión?

Remo se encaró con él.

—No tengo tiempo para esto, convicto. Ya casi ha pasado la mitad de mi parada de tiempo. ¡Unas horas más y una de mis mejores agentes sufrirá un lavado azul!

Mantillo se encogió de hombros.

–Ese no es mi problema. Sólo soy un delincuente, ¿recuerdas? Y por cierto, sé lo que quieres que haga, y mi respuesta es no.

–Todavía no te lo he pedido.

–Está muy claro. Soy un ladrón que entra en las casas. Eso de ahí es una casa. Tú no puedes entrar porque perderás tus poderes mágicos, pero yo ya he perdido los míos. Sé sumar dos y dos.

Remo escupió el tabaco.

–¿Es que no tienes orgullo cívico? Toda nuestra forma de vida está en juego.

–No mi forma de vida. Una cárcel subterránea o una cárcel humana. Para mí es lo mismo.

El comandante reflexionó unos instantes.

–De acuerdo, baboso. Cincuenta años menos de condena.

–Quiero la amnistía.

–Ni lo sueñes, Mantillo.

–Lo tomas o lo dejas.

–Setenta y cinco años en una prisión de seguridad mínima. Lo tomas o lo dejas tú.

Mantillo fingió pensarlo. Era una cuestión puramente teórica, teniendo en cuenta que pensaba escaparse de todos modos.

–¿En una celda individual?

–Sí, sí. En una celda individual. Y ahora, ¿lo harás?

–Muy bien, Julius. Sólo por ser tú.

Potrillo estaba buscando una iris-cam que se ajustase a los ojos del enano.

—Color avellana, creo. O tal vez pardo. La verdad es que tiene usted unos ojos increíbles, señor Mantillo.

—Gracias, Potrillo. Mi madre siempre decía que era mi rasgo físico más atractivo.

Remo se paseaba arriba y abajo por la lanzadera.

—Eh, vosotros, ¿os dais cuenta de que se nos acaba el tiempo? No importa el color, dale una cámara cualquiera, la que sea.

Potrillo extrajo una lente de su solución acuosa con unas pinzas.

—No es una cuestión de vanidad, comandante. Cuanta más precisión, menor será la interferencia con el ojo real.

—Vale, vale, lo que sea, pero acaba ya.

Potrillo agarró a Mantillo por la barbilla y lo sujetó con fuerza.

—Ya está. Le seguiremos todo el tiempo.

Potrillo enroscó un diminuto cilindro en los gruesos mechones de pelo que salían de las orejas de Mantillo.

—También mantendremos el contacto por audio. Por si necesita pedir ayuda.

El enano esbozó una sonrisa irónica.

—Perdón por no dar saltos de alegría. La verdad, siempre me las he apañado mejor solo.

—Si llamas apañárselas mejor a diecisiete condenas... —se burló Remo.

—Vaya, así que ahora sí tenemos tiempo para hacer bromas, ¿eh?

Remo lo agarró por los hombros.

—Tienes razón. No tenemos tiempo. Vamos.

Arrastró a Mantillo por la orilla de césped hasta un cerezal.

—Quiero que empieces a cavar un túnel aquí y averigües por qué ese tal Fowl sabe tantas cosas acerca de nosotros. Seguramente dispone de algún aparato de vigilancia. Sea lo que sea, destrúyelo. Encuentra si puedes a la capitana Canija e intenta ayudarla. Si está muerta, al menos eso nos dejará vía libre para hacer detonar la biobomba.

Mantillo entrecerró los ojos ante el paisaje.

—No me gusta.

—¿Qué es lo que no te gusta?

—La disposición de la tierra. Huelo a piedra caliza. Cimientos de roca sólida. Puede que no haya manera de entrar.

Potrillo se acercó al trote.

—He hecho un escaneo. La estructura original está cimentada completamente sobre roca, pero algunas de las extensiones posteriores se asientan sobre arcilla. Parece que la bodega del ala sur tiene el suelo de madera. No debería suponer ningún problema para alguien con una boca como la suya.

Mantillo decidió tomarse aquello como una descripción de la realidad en lugar de tomárselo como un insulto. Abrió la culera de sus pantalones de excavar.

—De acuerdo. Atrás todo el mundo.

Remo y los demás agentes de la PES buscaron refugio a toda prisa, pero Potrillo, que nunca había visto a un enano en acción excavando un túnel, decidió quedarse a contemplar el proceso.

—Buena suerte, Mantillo.

El enano se desencajó la mandíbula.

—Allá voooooy... —farfulló, inclinándose para tomar impulso.

El centauro miró a su alrededor.

—¿Dónde está todo el...?

No terminó la frase, porque un pegote de piedra caliza recién tragada y aún más recién reciclada, le dio en plena cara. Para cuando se hubo limpiado los ojos, Mantillo había desaparecido por un agujero que no dejaba de vibrar, y hasta él llegó el sonido de una risa sonora que hizo temblar los cerezos.

Mantillo siguió una veta de tierra a través de un pliegue volcánico de la roca. Una buena consistencia, sin demasiadas piedras sueltas. También había muchos insectos, vitales para unos dientes sanos y fuertes, el atributo más importante de un enano, y lo primero que comprobaba una posible novia. Mantillo bajó hasta la parte inferior de la piedra caliza, con la barriga casi rozando la roca. Cuanto más profundo fuese el túnel, menos probabilidades habría de que se hundiese la superficie. Era imposible pasarse de prudente en los tiempos que corrían, no con los sensores de movimiento y las minas de tierra. Los Fangosos llegaban hasta límites insospechados con tal de proteger sus objetos valiosos. Y tenían sus motivos, como había quedado demostrado.

Mantillo notó cómo una vibración se concentraba a su izquierda. Conejos. El enano grabó la ubicación en su brújula interna. Nunca estaba de más saber por dónde se movía la fauna local. Bordeó la madriguera, siguiendo el contorno de los cimientos de la mansión en una larga curva en el Noroeste.

Las bodegas eran fáciles de localizar. Con el paso de los siglos, los residuos se filtraban por el suelo e imprimían en la tierra la personalidad del vino. La de este era sombría, no tenía nada de fresca ni atrevida. Si acaso un toque frutal, pero no lo bastante como para aligerar el sabor. Decididamente, un vino para las ocasiones especiales en la parte inferior del botellero. Mantillo soltó un eructo. Esa era una buena arcilla.

El enano dirigió sus incisivas mandíbulas hacia arriba y perforó los tablones del suelo. Tomó impulso para subir por el boquete y se sacudió los restos del barro reciclado de los pantalones.

Estaba en una habitación oscura como boca de lobo, perfecta para la visión de los enanos. Su sonar le había guiado hasta un punto despejado del suelo. Un metro más a la izquierda y habría aparecido en el interior de un enorme tonel de vino tinto italiano.

Mantillo volvió a encajarse la mandíbula y echó a andar en dirección a la pared. Pegó una oreja en forma de caracola al ladrillo rojo y permaneció un momento completamente inmóvil, absorbiendo las vibraciones de la casa. Se oían muchos zumbidos de baja frecuencia. Había un generador en alguna parte y un montón de fluidos recorriendo los cables.

También oyó pasos. Arriba. En el tercer piso, quizá. Y cerca. Un estrépito. Del metal al golpear el cemento. Ahí estaba de nuevo. Alguien estaba construyendo algo. O destrozando algo.

Algo pasó rozándole el pie. Mantillo lo aplastó instintivamente. Era una araña. Sólo una araña.

–Lo siento, amiguita –le dijo a la mancha gris–. Estoy un poco nervioso.

Los escalones eran de madera, por supuesto, y por el olor, tenían más de un siglo. Escalones como aquellos crujían sólo con mirarlos. Eran mejores que las almohadillas de presión para delatar la presencia de intrusos. Mantillo subió por los bordes, con un pie delante del otro. Justo al lado de la pared era donde la madera tenía más puntos de soporte y había menos posibilidades de que crujiese.

La cosa no era tan sencilla como parece. Los pies de los enanos están diseñados para el trabajo duro, no para las delicadas complejidades del ballet clásico ni para hacer equilibrios sobre escalones de madera. Pese a todo, Mantillo llegó hasta la puerta sin problemas. Un par de crujidos débiles, pero nada perceptible para el oído humano ni los aparatos electrónicos.

La puerta estaba cerrada con llave, naturalmente, pero en realidad daba lo mismo, porque el desafío suponía un estímulo para cualquier enano cleptómano.

Mantillo hurgó en su barba y se arrancó un pelo resistente. El pelo de enano es completamente distinto del de la variedad humana. Los pelos de la cabeza y la barba de Mantillo eran en realidad una maraña de antenas que lo ayudaban a orientarse y a evitar el peligro bajo la superficie. Una vez que lo extraía de su poro, el pelo se endurecía inmediatamente con la rigidez del *rigor mortis*. Mantillo retorció la punta segundos antes de que adoptase una rigidez absoluta. Una ganzúa perfecta.

Una rápida sacudida y la cerradura cedió sin problemas. Sólo dos gachetas. La seguridad de aquella casa daba risa, la verdad. Algo muy típico de los humanos: nunca esperaban un ataque subterráneo. Mantillo salió a un pasillo de parquet. Toda la casa olía a dinero. Podía sacar de allí una auténtica fortuna, si tuviese más tiempo...

Había cámaras justo debajo del arquitrabe. Un trabajo muy bien hecho, ocultas disimuladamente entre las sombras natu-

186

rales, pero vigilantes pese a todo. Mantillo se detuvo unos segundos, calculando cuál debía de ser el ángulo ciego del sistema. Tres cámaras en el pasillo. Un barrido de noventa segundos. No había forma enana de burlarlas.

—Podrías pedir ayuda, ¿no te parece? —le dijo una voz al oído.

—¡Potrillo! —Mantillo apuntó con el ojo a la cámara más próxima—. ¿Puedes hacer algo con esas cámaras? —susurró.

El enano oyó el sonido de un teclado al ser manipulado y de repente su ojo derecho hizo un *zoom* como el objetivo de una cámara.

—¡Qué maravilla! —exclamó Mantillo—. Tengo que conseguir una de esas.

La voz de Remo retumbó en el auricular diminuto.

—Ni lo sueñes, convicto. Es material del gobierno. Además, ¿para qué te serviría en la cárcel? ¿Para conseguir un primer plano del otro lado de la celda?

—Eres un encanto, Julius. ¿Qué te pasa? ¿Estás celoso porque yo estoy teniendo éxito allí donde tú fracasaste?

Las palabrotas de Remo quedaron ahogadas por la voz de Potrillo.

—Vale, ya lo tengo. Es una simple red de vídeo. Ni siquiera es digital. Voy a enviar un bucle de los últimos diez segundos a todas las cámaras a través de las parabólicas. Eso debería darnos unos minutos.

Mantillo se removió nervioso.

—¿Cuánto vas a tardar? Estoy un poco indefenso, ¿sabes?

—Ya ha empezado —respondió Potrillo—, así que ponte en marcha.

—¿Estás seguro?

—Pues claro que estoy seguro. Es electrónica elemental. Llevo trasteando con los sistemas de vigilancia humanos desde que iba a la guardería. Sólo tienes que confiar en mí.

Mantillo preferiría confiar en que una panda de humanos no provocase la extinción de otra especie antes que confiar en un asesor de la PES, pero a pesar de lo que pensaba en su fuero interno, anunció en voz alta:

—De acuerdo. Allá voy.

El enano se escabulló por el pasillo. Hasta sus manos eran astutas, deslizándose por el aire como si pudiera hacerse más ligero. Sea lo que fuere lo que hubiese hecho ese centauro, tenía que haber funcionado, porque no había ni rastro de Fangosos corriendo nerviosos por la escalera, armados con trabucos de pólvora primitivos.

Escaleras. Ah, escaleras... Mantillo sentía predilección por las escaleras. Eran como los pozos sin excavar. Era como si fuese a encontrar el mejor botín al llegar a lo alto. Y menuda escalera... Toda de madera de roble, con los intrincados grabados que suelen asociarse con el siglo XVIII o con los ricachones. Mantillo pasó el dedo por una barandilla ornamentada. En este caso, probablemente se la podía relacionar con ambas cosas.

Pero no había tiempo para quedarse embobado. Las escaleras no solían permanecer desiertas mucho rato, sobre todo durante un asedio. A saber cuántos soldados sedientos de sangre se ocultaban tras todas aquellas puertas, ansiosos por añadir la cabeza de un enano a su colección de trofeos disecados.

Mantillo subió con sumo sigilo, pues todas las precauciones eran pocas. Hasta el roble más sólido crujía de vez en cuando. Siguió su táctica de ascender por el borde de los escalones, evitando la parte central, cubierta de moqueta. El enano sabía por su condena número ocho lo fácil que resultaba esconder una almohadilla de presión bajo el tejido de un tapiz antiguo.

Logró llegar al descansillo con la cabeza intacta, pero un nuevo problema hacía que la cosa oliese muy mal, literalmente. La digestión de los enanos, debido a la asombrosa velocidad con la que se realiza, puede resultar bastante explosiva, nunca mejor dicho. La tierra que rodeaba los cimientos de la mansión Fowl estaba muy removida para que se aire018 bien, y un montón de aire había penetrado en las tripas de Mantillo junto con la tierra y los minerales. Ahora el aire quería salir afuera.

La etiqueta de los enanos dictaba que expulsasen los gases mientras permaneciesen en el interior de los túneles, pero Mantillo no había tenido tiempo para hacer gala de sus buenos modales. Ahora se arrepentía de no haber parado un minuto para librarse del gas mientras estaba en la bodega. El problema con los gases de los enanos es que no pueden ir hacia arriba, sino sólo hacia abajo. Imaginemos por un momento los catastróficos efectos que produciría un enano si soltase un eructo mientras digiere un bocado de arcilla. Propulsión hacia atrás total. No es un espectáculo agradable. Por eso, la anatomía de los duendes se asegura de que todos los gases vayan hacia abajo con el fin de ayudar a expulsar la arcilla no deseada. Por supuesto, existe una forma más sencilla de explicar todo esto, pero sólo puede leerse en el libro para los adultos.

Mantillo se rodeó el estómago con los brazos. Lo mejor sería que buscase algún espacio al aire libre. Una ventosidad en un descansillo como aquel podía hacer añicos todas las ventanas. Avanzó por el pasillo arrastrando los pies y desapareció por la primera puerta que encontró.

Más cámaras. Muchísimas, en realidad. Mantillo estudió el alcance de los objetivos. Cuatro vigilaban el espacio general, pero otras tres estaban fijas.

—Potrillo, ¿estás ahí? —susurró el enano.

—No —contestó con una de sus típicas respuestas sarcásticas—. Tengo cosas mejores que hacer que preocuparme por la destrucción de la civilización tal como la conocemos.

—Muchas gracias. No dejes que el hecho de que mi vida corra peligro te estropee la diversión.

—Lo intentaré.

—Tengo un reto para ti.

Potrillo sintió un súbito interés.

—¿Ah, sí? Cuenta, cuenta.

Mantillo señaló con la mirada a las cámaras empotradas, semiocultas en el arquitrabe curvado.

—Necesito saber adónde apuntan esas cámaras. Con exactitud.

Potrillo se echó a reír.

—Eso no es un reto. Esos viejos sistemas de vídeo emiten rayos de iones muy débiles. Invisibles para el ojo humano normal, claro está, pero no si llevas una iris-cam.

El aparato del ojo de Mantillo parpadeó y soltó chispas.

—¡Ay!

—Perdona. Ha sido una pequeña descarga.

—Podrías haberme avisado.

—Luego te daré un besote, cariño. Pensaba que los enanos erais tipos duros.

—Y somos duros. Ya te enseñaré lo duros que somos cuando vuelva.

La voz de Remo interrumpió su fanfarronería.

—No le vas a enseñar nada a nadie, convicto, salvo dónde está el retrete de tu celda, tal vez. Y ahora dime, ¿qué ves?

Mantillo examinó la habitación de nuevo con su ojo sensible a los iones. Cada cámara emitía un rayo muy débil, como los últimos rayos de sol del atardecer. Los rayos convergían en un retrato de Artemis Fowl, padre.

—Detrás del retrato no, por favor...

Mantillo pegó la oreja al cristal del retrato. No se oía ningún ruido eléctrico, lo cual significaba que carecía de sistema de alarma. Sólo para estar seguro, olisqueó el borde del marco. No había plástico ni cobre. Madera, acero y vidrio. Un poco de plomo en la pintura. Clavó una uña por detrás del marco y tiró. El retrato se soltó de la pared con suavidad y giró a un lado mediante un mecanismo de bisagras. Y detrás del cuadro..., una caja fuerte.

—Es una caja fuerte —dijo Potrillo.

—Ya lo sé, idiota. ¡Estoy intentando concentrarme! Si quieres ayudar, dime la combinación.

—Eso está chupado. Ah, y por cierto, dentro de poco vas a notar otra pequeña descarga. A lo mejor el nene quiere chuparse el dedo gordo para consolarse...

—Potrillo, te voy a... ¡Aaay!

—Ya está. Son los rayos X.

Mantillo entrecerró los ojos para examinar el interior de la caja fuerte. Era increíble. Podía ver directamente el mecanismo. Las gachetas y los pestillos resaltaban en un relieve sombreado. Se sopló los dedos peludos e hizo girar el disco de la combinación. En unos segundos, la caja fuerte se abrió ante él.

—Oh —exclamó, decepcionado.

—¿Qué hay dentro?

—Nada. Sólo dinero humano. Nada de valor.

—Déjalo —le ordenó Remo—. Inténtalo con otra habitación. Vamos, ponte en marcha.

Mantillo asintió. Otra habitación. Antes de que se le acabara el tiempo. Sin embargo, había algo que le extrañaba. Si aquel tipo era tan listo, ¿por qué había puesto la caja fuerte detrás de un cuadro? Era de lo más típico. No era propio de un cerebro del crimen organizado. No. Había algo que no encajaba. No sabía cómo, pero los estaba engañando.

Mantillo cerró la caja fuerte y volvió a colocar el retrato en su sitio. Se balanceó con suavidad, muy ligero en las bisagras. Ligero. Volvió a abrir el cuadro. Y luego volvió a cerrarlo.

—Convicto, ¿qué estás haciendo?

—¡Cállate de una vez, Julius! Digo..., silencio un momento, comandante.

Mantillo examinó el marco de perfil. Era un poco más grueso de lo normal. Bastante más grueso, aun teniendo en cuenta la caja del marco. Cinco centímetros. Pasó la uña por el pesado refuerzo de la parte posterior y lo rasgó para descubrir...

—Otra caja fuerte.

Se trataba de una más pequeña. Hecha a medida, obviamente.

—Potrillo, no veo nada a través de esto.

—Está forrada con plomo. Tendrás que apañártelas tú solito, ladronzuelo. Haz lo que mejor sabes hacer.

–Ya sabía yo... –murmuró Mantillo, apoyando la oreja contra el frío acero.

Probó a girar el disco. Era un buen mecanismo. El plomo ahogaba el ruido de los «clics»; tendría que concentrarse. La parte positiva era que con unas dimensiones tan reducidas, la cerradura sólo podía tener tres gachetas como máximo.

Mantillo contuvo la respiración e hizo girar el disco, un diente cada vez. Para un oído normal, aun con amplificación, los «clics» habrían parecido uniformes, pero para Mantillo, cada diente tenía un sonido distinto, y cuando un trinquete encajaba en su sitio, producía un ruido ensordecedor.

–Uno –anunció.

–Date prisa, convicto. Se te acaba el tiempo.

–¿Me interrumpes para decirme eso? Ya veo cómo te has convertido en comandante, Julius.

–Convicto, te voy a...

Pero era inútil. Mantillo se había quitado el auricular y se lo había metido en el bolsillo. Ahora podría dedicar toda su atención a la tarea que tenía entre manos.

–Dos.

Oyó un ruido procedente del exterior de la habitación. Del pasillo. Venía alguien. Tenía que ser del tamaño de un elefante por el estruendo. Sin duda se trataba del hombre-montaña que había hecho picadillo al Escuadrón de Recuperación.

Mantillo parpadeó para quitarse una gota de sudor del ojo. «Concéntrate. Concéntrate.» Los dientes seguían girando. Milímetro a milímetro. No encajaba ninguno. El suelo parecía estar temblando, aunque podían ser imaginaciones suyas.

Clic, clic. Venga, venga. Tenía los dedos húmedos por el sudor y el disco le resbalaba entre ellos. Mantillo se los limpió en la chaqueta sin mangas.

—Venga, preciosa, vamos. Dime algo.

Clic. ¡Clonc!

—¡Sí!

Mantillo hizo girar la manija. Nada. Seguía habiendo una obstrucción. Pasó la yema del dedo por la superficie de metal. Ahí. Había una pequeña irregularidad: el ojo microscópico de una cerradura, demasiado pequeño para su ganzúa habitual. Era el momento de poner en práctica un truquito que había aprendido en prisión, pero tendría que actuar con rapidez, pues el estómago le burbujeaba como un estofado al fuego, y los pasos se acercaban cada vez más.

Escogiendo un pelo robusto de la barbilla, Mantillo lo introdujo con suavidad por el agujerito. Cuando reapareció la punta, arrancó la raíz de su barbilla. El pelo se puso rígido inmediatamente, conservando la forma del interior de la cerradura.

Mantillo contuvo la respiración e hizo girar la manija. Sin protestar lo más mínimo, la cerradura se abrió. Un trabajo impecable. En momentos como aquel, casi valía la pena todo el tiempo que había pasado entre rejas.

El enano cleptómano abrió la portezuela. Era una obra maestra, casi digna de la forja de un duende. Ligera como una pluma. En su interior, había una pequeña cámara, y en la cámara había...

—¡Por todos los dioses del cielo! —exclamó Mantillo.

Luego las cosas se complicaron a una velocidad asombrosa. El *shock* que había sufrido Mantillo se transfirió a sus intestinos y estos decidieron que el exceso de aire tenía que desaparecer. Mantillo conocía los síntomas: piernas de plastelina, calambres burbujeantes y el trasero tembloroso. En los segundos que le quedaban, agarró el objeto del interior de la caja fuerte e, inclinándose hacia delante, se sujetó las rodillas para no perder el equilibrio.

La ventosidad reprimida había ido adquiriendo la intensidad de un miniciclón y ya era imposible detenerla, así que salió disparada. Bruscamente y con gran aparatosidad, hizo estallar la culera de los pantalones de Mantillo y golpeó en plena cara al caballero grandote que había estado espiando al enano hasta entonces.

Artemis estaba pegado a los monitores. Aquel era el momento en que, tradicionalmente, las cosas les salían mal a los secuestradores: la tercera parte de las operaciones. Después de haber salido airosos hasta el momento, los raptores solían relajarse, encender unos cigarrillos y ponerse a charlar con sus rehenes. Y cuando venían a darse cuenta, estaban tumbados en el suelo boca abajo con un montón de pistolas apuntándoles a la nuca. Pero no Artemis Fowl. Él no cometía errores.

Sin duda alguna, los duendes debían de estar revisando las cintas de su primera sesión de negociaciones, buscando cualquier cosa que pudiera proporcionarles una pista para poder entrar. Bueno, la pista estaba ahí, enterrada a una profundidad suficiente como para que pareciese casual; lo único que tenían que hacer era estar atentos.

Cabía la posibilidad de que el comandante Remo intentase poner en práctica otra estratagema de las suyas. Era un tipo muy astuto, eso era innegable. Alguien que no aceptaría de buen grado que un chiquillo lo pusiera a prueba. Sí, soportaría vigilarlo.

De sólo pensar en Remo, a Artemis le daban escalofríos. Decidió realizar una nueva comprobación e inspeccionó los monitores.

Juliet seguía en la cocina, restregando el fregadero. Estaba lavando las verduras.

La capitana Canija estaba en su catre, callada como un muerto. Ya no daba golpes en el suelo con la cama. A lo mejor se había equivocado con ella, a lo mejor no había ningún plan.

Mayordomo estaba de pie en su puesto fuera de la celda de Holly. Qué raro... Debería estar haciendo su ronda en ese momento. Artemis cogió un *walkie-talkie*.

—¿Mayordomo?

—Roger, base. Te recibo.

—¿No deberías estar haciendo la ronda?

Se produjo una pausa.

—Y la estoy haciendo, Artemis. Estoy patrullando el rellano principal. A punto de llegar a la sala de la caja fuerte. Ahora mismo te estoy haciendo señas con las manos.

Artemis miró a las cámaras del descansillo. Estaba desierto, desde todos los ángulos. No había ningún sirviente haciéndole señas, eso seguro. Examinó los monitores, contando en voz baja... ¡Ahí! Cada diez segundos se producía un ligero salto. En todas las pantallas.

—¡Un bucle! —gritó, levantándose de la silla de un salto—. ¡Nos han puesto un bucle en las cámaras!

Por el altavoz, oyó cómo Mayordomo aceleraba el paso hasta echar a correr.

ᛒᚹ · ᚱᚺᚦᛎᛈᚱ · ᚱᚢᚢᛎᚺᚦᛈᚱ · ᛨ · ᛎᛈᚱ · ᛉᚺ

—¡La sala de la caja fuerte!

A Artemis empezó a revolvérsele el estómago. ¡Lo habían engañado! Él, Artemis Fowl, había sido engañado, a pesar de sus presentimientos. Era inconcebible. Todo por culpa de la arrogancia, por culpa de su arrogancia ciega, y ahora el plan entero podía venírsele abajo en las narices.

Puso el *walkie-talkie* en la frecuencia de Juliet. Era una pena ahora que había conectado el intercomunicador interno de la casa, pero no funcionaba en una frecuencia segura.

—¿Juliet?

—Te recibo.

—¿Dónde estás ahora mismo?

—En la cocina, destrozándome las uñas con el rallador.

—Déjalo, Juliet. Ve a vigilar a la prisionera.

—Pero Artemis, ¡las zanahorias se secarán!

—¡Déjalo, Juliet! —gritó Artemis—. ¡Deja todo lo que tengas entre manos y ve a vigilar a la prisionera!

Juliet lo dejó todo obedientemente, incluyendo el *walkie-talkie*. Ahora estaría varios días de morros. No importaba. No había tiempo para preocuparse por el ego herido de una cría adolescente. Tenía asuntos más importantes que atender.

Artemis apretó el interruptor general del sistema de vigilancia electrónico. Su única forma de borrar el bucle era reiniciando el sistema por completo. Después de minutos angustiosos de nieve en las pantallas, los monitores cobraron vida de nuevo y se estabilizaron. Las cosas no eran como parecían apenas minutos antes.

En primer lugar, había un engendro grotesco en la sala de la caja fuerte. Al parecer, había descubierto el compartimiento secreto, pero la cosa no acababa ahí: ¡había logrado abrir la cerradura microscópica! Asombroso. Sin embargo, Mayordomo lo tenía todo bajo control. Estaba acechando a la criatura por la espalda y en cualquier momento haría que el intruso se diera de bruces contra la moqueta del suelo.

Artemis desvió su atención hacia Holly. La elfa había vuelto a empezar a dar golpes con la cama, estrellando el armazón metálico contra el suelo una y otra vez como si quisiera...

Entonces lo vio todo claro, como una tromba de agua que le hubiese despejado el cerebro. Si Holly había conseguido ocultar una bellota en su celda, bastaría un centímetro cuadrado de tierra. Si Juliet dejaba esa puerta abierta...

—¡Juliet! —gritó, agarrando el *walkie-talkie*—. ¡Juliet! ¡No entres ahí!

Pero era inútil. El *walkie-talkie* de la chica languidecía emitiendo zumbidos en el suelo de la cocina, y Artemis vio impotente cómo la hermana de Mayordomo avanzaba hacia la puerta de la celda mascullando algo sobre unas zanahorias.

—¡La sala de la caja fuerte! —exclamó Mayordomo, acelerando el paso. Su instinto le decía que irrumpiese allí a lo grande, profiriendo amenazas y encañonando el arma, pero su formación militar acabó venciendo a los dictados de sus entrañas. El armamento y la tecnología de los duendes eran muy superiores a los suyos, y a saber cuántos cañones le estarían apuntando desde el otro lado de aquella puerta... No, la prudencia era sin duda la mejor táctica en aquella situación en particular.

Apoyó la palma de la mano en la puerta para percibir cualquier vibración. Nada. Eso significaba que dentro no había maquinaria de ningún tipo. Mayordomo enroscó los dedos en el pomo de la puerta y lo hizo girar con suavidad. Con la otra mano, sacó una Sig Sauer automática de la sobaquera. No había tiempo para ir a buscar el rifle de dardos, tendría que tirar a matar.

La puerta se abrió sin hacer ruido, tal como esperaba Mayordomo, pues había engrasado él mismo todas las bisagras de la casa. Lo que había ante sus ojos era... Bueno, a decir verdad, Mayordomo no estaba seguro de lo que era. Así, a primera vista, si no fuese porque era imposible, habría jurado que aquella cosa parecía sencillamente un enorme y tembloroso...

Y justo entonces la cosa explotó y... ¡descargó una cantidad infinita de desechos de túnel directamente encima del desafortunado sirviente! Era como si le estuviesen golpeando cien mazos a la vez. El impulso levantó el cuerpo de Mayordomo por los aires y lo estrelló contra la pared.

Y mientras poco a poco iba quedándose inconsciente, rezó por que el amo Artemis no hubiese capturado aquel momento en vídeo.

Holly se sentía cada vez más débil. El somier metálico pesaba casi el doble que ella, y los bordes le estaban dejando unos crueles verdugones en las palmas de las manos. Pero no podía dejarlo ahora, no ahora que estaba tan cerca.

Dejó caer el armazón en el cemento de nuevo. Una nube de polvo gris se arremolinó en torno a sus piernas. En cualquier momento, Fowl descubriría su plan y le aplicarían el tratamiento con la aguja hipodérmica de nuevo, pero hasta entonces...

Apretó los dientes para mitigar el dolor al tiempo que levantaba el armazón hasta la altura de su rodilla. Lo cierto es que una pequeña porción de tierra asomaba ya por la superficie de cemento. Holly se sacó la bellota de la bota y la sujetó con fuerza con los dedos ensangrentados.

—Te devuelvo a la tierra —musitó mientras enterraba el puño en el diminuto espacio— y reclamo el don al que tengo derecho.

Nada sucedió durante un segundo. Tal vez dos. Luego Holly sintió que la magia le subía por el brazo como la descarga de una valla eléctrica para ahuyentar a los troles. La impresión hizo que se pusiera a girar sobre sí misma por toda la habitación. Durante unos minutos, el mundo empezó a dar vueltas en un desconcertante caleidoscopio de colores, pero cuando se detuvo, Holly dejó de ser la elfa derrotada que había sido hasta entonces.

—Muy bien, señor Fowl —dijo sonriendo y viendo cómo las chispas azules de magia le sanaban las heridas—. Vamos a ver qué tengo que hacer para conseguir tu permiso para salir de aquí.

—Deja todo lo que tengas en las manos —soltó Juliet, enfurruñada—. Deja todo lo que tengas en las manos y ve a vigilar a la prisionera. —Se echó unos mechones rubios hacia atrás, por encima del hombro, con mano experta—. Se cree que soy su criada o algo así.

Golpeó la puerta de la celda con la palma de la mano.

—Voy a entrar, duendecilla, así que si estás haciendo algo indecente, déjalo, anda. —Juliet introdujo la combinación en el teclado numérico—. Y no, no te traigo tus verduritas ni tu fruta lavada, pero no es culpa mía. Artemis insistió en que bajara ahora mismo a...

Juliet dejó de hablar porque no había nadie escuchándola. Estaba soltando un discurso a una habitación vacía. Esperó a que su cerebro le ofreciera una explicación. Nada. Al final, se le ocurrió la idea de echar otro vistazo.

Dio un paso vacilante hacia el interior del cubículo de cemento. Nada. Sólo un leve fulgor entre las sombras. Como una neblina. Seguramente era por culpa de esas gafas estúpidas. ¿Cómo ibas a ver algo con unas gafas de espejo en un subterráneo? Y eran tan de los noventa... Ni siquiera eran retro todavía...

Juliet lanzó una mirada culpable al monitor. Sólo un vistazo, ¿qué daño podía hacer? Se levantó un poco la montura y echó una rápida ojeada a la habitación.

En ese instante, una figura se materializó ante ella, como si acabara de salir de la nada. Era Holly. Estaba sonriendo.

—Ah, eres tú. ¿Cómo has...?

La elfa la interrumpió con un movimiento de la mano.

—¿Por qué no te quitas esas gafas, Juliet? La verdad es que te quedan fatal.

«Tiene razón —pensó Juliet—. Y qué voz tan bonita. Como si fuera un coro de ángeles.» ¿Cómo iba a discutir con una voz como aquella?

—Eso voy a hacer. Gafas de troglodita fuera. Por cierto, me mola tu voz. *Do-re-mi* y todo eso.

Holly decidió no intentar descifrar los comentarios de Juliet. Ya era bastante difícil cuando la chica gozaba de plenas facultades mentales.

—Y ahora, una pregunta muy sencilla.

—Vale, de acuerdo. —Qué gran idea.

—¿Cuántas personas hay en la casa?

Juliet se quedó pensativa. Uno, uno y uno.

¿Y uno más? No, la señora Fowl no estaba allí.

—Tres —respondió al fin—. Mayordomo, yo y, por supuesto, Artemis. La señora Fowl estaba aquí, pero ahora está ida. Ahora está ida. ¡Ja, ja, ja! ¿Lo pillas?

Juliet se echó a reír con ganas. Acababa de hacer un chiste. Y muy bueno, además.

Holly quiso exigirle una aclaración a sus palabras, pero lo pensó mejor. Un error, como descubriría más tarde.

—¿Ha venido alguien más aquí? ¿Alguien como yo?

Juliet se mordisqueó el labio.

—Vino un hombrecillo. Con un uniforme como el tuyo. Pero no era guapo. Todo lo contrario. No dejaba de gritar y de fumarse un cigarro apestoso. Un cutis horrible. Rojo como un tomate.

Holly estuvo a punto de sonreír. Remo había venido en persona. No era de extrañar que las negociaciones hubiesen resultado un completo desastre.

—¿Nadie más?

—No, que yo sepa. Si vuelves a ver a ese hombrecillo, dile que deje la carne roja. Le va a dar un infarto en cualquier momento.

Holly reprimió una carcajada. Juliet era la única humana que conocía que parecía estar más lúcida bajo los efectos de un *encanta*.

—Vale, se lo diré. Y ahora, Juliet, quiero que te quedes en mi habitación, y oigas lo que oigas, no salgas. Bajo ninguna circunstancia.

Juliet frunció el ceño.

—¿En esta habitación? ¡Qué aburrimiento! Sin tele ni nada. ¿No puedo subir al salón?

—No. Tienes que quedarte aquí. Además, acaban de instalar una pantalla de televisión gigante en la pared. Como en el cine. Lucha, veinticuatro horas al día.

Juliet por poco se desmaya de placer. Se encerró en la celda a toda prisa, dando gritos ahogados de entusiasmo mientras su imaginación le proporcionaba las imágenes.

Holly meneó la cabeza con resignación. «Bueno —pensó—, al menos una de nosotras es feliz.»

Mantillo meneó el trasero para quitarse los restos de tierra. Si lo viera su madre... ¡arrojando fango a los Fangosos! Eso sí que era una ironía, o algo así. A Mantillo nunca se le había dado demasiado bien la gramática en el colegio. Ni eso ni la poesía. Nunca le había visto la utilidad. Abajo, en las minas, sólo había dos frases importantes: «¡Mirad, oro!» y «¡Derrumbe! ¡Todos a cubierto!». No había significados ocultos en esas dos frases, ni rimas tampoco.

El enano se abrochó la culera de sus pantalones, que el vendaval procedente de sus partes pudendas había abierto de golpe. Era la hora de salvar el pellejo. Todas sus esperanzas de escapar de allí sin ser descubierto se habían volatilizado. Literalmente.

Mantillo recuperó su auricular y se lo acopló con firmeza al oído. Bueno, nunca se sabía, tal vez hasta la PES podía resultar útil.

—... y cuando te ponga las manos encima, convicto, desearás haberte quedado en esas minas de ahí abajo...

Mantillo lanzó un suspiro. En fin, sin novedad entonces.

Sujetando con fuerza el tesoro de la caja fuerte en el puño, el enano volvió sobre sus propios pasos. Para su asombro, había un humano enredado en el pasamanos. A Mantillo no le sorprendió lo más mínimo que su material de reciclaje hubiese conseguido elevar al Fangoso mastodóntico varios metros en el aire —era cosa sabida que el gas de los enanos había provocado avalanchas en los Alpes—; lo que le sorprendía era que el humano hubiese conseguido acercarse tanto a él.

—Eres bueno —dijo Mantillo, meneando un dedo admonitorio al guardaespaldas inconsciente—, pero nadie recibe una ventosidad de Mantillo Mandíbulas y se queda en pie.

El Fangoso se movió y enseñó el blanco de los ojos entre unas pestañas parpadeantes.

La voz de Remo retumbó en los oídos del enano.

—Mueve el culo, Mantillo Mandíbulas, antes de que ese Fangoso se levante y te muela las tripas. Se cargó a un equipo de Recuperación entero, ¿sabes?

Mantillo tragó saliva y toda su bravuconería se esfumó en un instante.

—¿Un equipo de Recuperación entero? Tal vez debería volver bajo tierra... por el bien de la misión.

Sorteando a toda prisa el cuerpo del guardaespaldas quejumbroso, Mantillo bajó los escalones de dos en dos. De nada servía preocuparse por los crujidos de la escalera cuando acababas de soltar el equivalente intestinal del huracán Hal por los pasillos.

Estaba a punto de llegar a la puerta de la bodega cuando un leve resplandor se encarnó en una figura ante sus ojos. Mantillo la reconoció de inmediato: era la agente que lo ha-

bía detenido por un delito de contrabando de maestros rena-
centistas.

−¡Capitana Canija!

−Mantillo. No esperaba verte aquí.

El enano se encogió de hombros.

−Julius tenía en mente un trabajo sucio. Alguien tenía que
hacerlo.

−Ya lo entiendo −contestó Holly con un movimiento afir-
mativo−. Tú ya has perdido tus poderes mágicos. Muy listo.
¿Qué has averiguado?

Mantillo le mostró su hallazgo.

−Esto estaba en la caja fuerte.

−¡Un ejemplar del Libro! −exclamó Holly con un grito
ahogado−. Con razón estamos metidos en este lío... Hemos
estado siguiéndole el juego a Fowl todo este tiempo.

Mantillo abrió la puerta de la bodega.

−¿Nos vamos?

−Yo no puedo. He recibido órdenes de no abandonar la
casa, y el humano me lo ha ordenado mirándome a los ojos.

−Tus rollos mágicos y tus rituales... No tienes ni idea de lo
libre que se siente uno sin tener que obedecer todas esas tonterías.

De pronto se oyó una serie de ruidos agudos procedentes
del descansillo del piso superior. Parecía un trol destrozando
una cacharrería.

−Podemos discutir sobre ética en otro momento. Ahora
mismo sugiero que nos esfumemos.

Mantillo asintió.

−Estoy de acuerdo. Al parecer, ese tipo se cepilló a un escuadrón entero de Recuperación.

Holly se detuvo a medio protegerse con el escudo.

—¿Un escuadrón entero? Hummm... Equipado con todas las armas. Me pregunto...

Continuó difuminándose hasta que lo último en desaparecer fue una sonrisa de oreja a oreja.

Mantillo sintió la tentación de quedarse a ver qué pasaba. Pocas cosas había más divertidas que ver a un agente de Reconocimiento armado hasta los dientes pillar por sorpresa a un grupo de humanos confiados. Para cuando la capitana Canija hubiese acabado con aquel tal Fowl, este le estaría suplicando de rodillas que abandonase su mansión.

El tal Fowl en cuestión lo estaba viendo todo desde la sala de vigilancia. No había por qué negarlo: las cosas no iban bien. No iban bien en absoluto, pero lo cierto era que no todo estaba perdido. Aún había esperanza.

Artemis hizo una relación de los sucesos acaecidos en los últimos minutos. La seguridad de la mansión había corrido peligro. La sala de la caja fuerte estaba patas arriba, destrozada por una especie de flatulencia duendil. Mayordomo permanecía inconsciente, posiblemente paralizado por la misma anomalía gaseosa. Su rehén andaba suelta por la casa, con todos sus poderes mágicos restituidos. Había una criatura horrenda con zahones de cuero cavando hoyos bajo los cimientos sin consideración alguna por las reglas de los seres mágicos. Y las Criaturas habían recuperado una copia del Libro, una de las muchas copias en realidad, incluyendo una en disquete en una cámara acorazada suiza.

El dedo de Artemis se peinó un mechón solitario de pelo oscuro. Tendría que excavar muy hondo para encontrarle la parte positiva a todo aquel desaguisado. Inspiró varias veces, buscando su *chi* tal como Mayordomo le había enseñado.

Tras varios minutos de contemplación, se dio cuenta de que aquellos factores eran muy poco relevantes para las estrategias generales de ambos bandos. La capitana Canija seguía atrapada en el interior de la mansión, y el periodo de la parada de tiempo se estaba agotando. Muy pronto, a la PES no le quedaría otra opción que lanzar su biobomba, y entonces sería cuando Artemis Fowl asestaría su golpe de gracia. Por supuesto, todo dependía del comandante Remo. Si este era tan limitado intelectualmente como parecía, era muy posible que todo el plan se viniese abajo delante de sus narices. Artemis deseaba con toda su alma que algún miembro del equipo de duendes tuviese la inteligencia de ver el «error» que había cometido durante la sesión de negociación.

Mantillo se desabrochó la culera de sus zahones. Era el momento de embuchar un poco de tierra, tal como decían abajo en las minas. El problema de los túneles excavados por los enanos era que se cerraban al instante ellos mismos, de modo que si tenían que regresar por el mismo camino por el que habían venido, los enanos debían volver a excavar un hoyo nuevecito. Algunos enanos volvían sobre sus pasos siguiendo exactamente el mismo camino, mascando la tierra menos compacta y ya digerida. Mantillo prefería cavar un nuevo túnel. Por alguna razón, comerse la misma tierra dos veces no le parecía muy higiénico.

Después de desencajarse la mandíbula, el enano se colocó en posición de torpedo encima del agujero de los tablones de madera. Su corazón se tranquilizó de inmediato en cuanto el olor a minerales le inundó las fosas nasales. A salvo, estaba a salvo. No había nada capaz de atrapar a un enano bajo tierra, ni siquiera un gusano perforador de roca eskailiano. Siempre y cuando, claro está, consiguiese meterse bajo tierra...

Diez dedos poderosísimos agarraron a Mantillo por los tobillos. Estaba visto que aquel no era su día. Primero, el goblin con cara de verruga y ahora, aquel humano homicida. Hay gente que nunca aprende. Sobre todo cuando se trata de los Fangosos.

—Que voooy... —farfulló, agitando inútilmente la mandíbula desencajada.

—Ni lo sueñes —respondió el humano—. La única forma en que saldrás de aquí será en un pijama de madera.

Mantillo sintió cómo lo arrastraban hacia atrás. Aquel humano tenía mucha fuerza; había muy pocas criaturas capaces de arrancar a un enano de un sitio al que se hubiese agarrado. Escarbó en la tierra, metiéndose puñados de arcilla impregnada en vino en su boca cavernosa. Sólo tenía una posibilidad.

—Venga, goblin de las narices. Sal de ahí.

¡Goblin! Mantillo se habría indignado de no ser porque estaba demasiado ocupado masticando arcilla para lanzársela a su enemigo.

El humano se calló de repente. Lo más probable era que se hubiese fijado en la culera de los pantalones, y posiblemente también en el trasero mismo. No había duda de que lo que había sucedido en la sala de la caja fuerte estaba a punto de suceder de nuevo.

—Oh...

Lo que habría seguido a ese «Oh» se lo imagina todo el mundo, pero seguro que no habría sido una frase del estilo «pobre de mí». Sin embargo, lo cierto es que Mayordomo no tuvo tiempo de empezar a recitar su lista de improperios porque, muy sabiamente, escogió ese momento para liberar aquellos tobillos. Una sabia elección sin duda, porque coincidió con el instante en que Mantillo decidió lanzar su ofensiva gaseosa.

Un terrón de arcilla compacta salió disparada como una bala de cañón directamente hacia el lugar donde había estado la cabeza de Mayordomo apenas un segundo antes. De haber seguido ocupando aquel espacio, el impacto se la habría arrancado de cuajo de los hombros. Un final indigno para un guardaespaldas de su calibre. En realidad, el misil viscoso apenas le rozó la oreja, pero el impulso bastó para que Mayordomo empezara a girar sobre sí mismo como un patinador sobre hielo e hizo que aterrizara sobre su trasero por segunda vez en pocos minutos.

Para cuando se hubo despejado su visión, el enano había desaparecido en una vorágine de porquería revuelta. Mayordomo decidió no intentar perseguirlo. Morir bajo tierra no se encontraba en un lugar destacado de su lista de prioridades. «Pero llegará el día en que me vengaré de ti, duende», pensó con amargura. Y llegaría ese día. Pero eso es otra historia.

El impulso de Mantillo lo propulsó bajo tierra. Ya llevaba recorridos varios metros de la veta de tierra cuando se dio cuenta de que no lo seguía nadie. Una vez que el sabor de la tierra hubo apaciguado el ritmo de los latidos de su corazón, decidió que había llegado la hora de poner en práctica su plan de huida.

El enano alteró su ruta y se abrió paso a mordiscos en dirección a la madriguera de conejos que había descubierto la primera vez. Con un poco de suerte, el centauro no habría sometido los cimientos de la mansión a una prueba sismológica pues, de lo contrario, descubrirían su estratagema. Ahora no le quedaba más remedio que confiar en que tenían cosas más importantes de las que preocuparse que un prisionero desaparecido. No habría ningún problema para engañar a Julius, pero el centauro... Ese era muy listo.

La brújula interna de Mantillo lo guió a la perfección y al cabo de unos minutos percibió las suaves vibraciones de los conejos al recorrer sus túneles. A partir de entonces, la sincronización era un factor crucial si quería que la ilusión tuviese efecto. Aminoró la velocidad de excavación, escarbando la arcilla suave con delicadeza hasta que sus dedos rompieron la pared del túnel. Mantillo tuvo la precaución de mirar hacia otro lado, porque viese lo que viese, las imágenes aparecerían en la pantalla del cuartel general de la PES.

Dejando los dedos en el suelo del túnel como una araña del revés, Mantillo esperó. No le hizo falta esperar demasiado. Al cabo de unos segundos sintió la vibración rítmica de un conejo al acercarse. En el instante en que las patas traseras del animal rozaron la trampa, cerró sus poderosos dedos alrededor de su presa. El pobre animal no tuvo la más mínima oportunidad.

«Lo siento, amigo —pensó el enano—. Si hubiese otra forma de hacerlo...» Tirando del cuerpo del animal a través del agujero, Mantillo volvió a encajarse la mandíbula y empezó a chillar.

—¡Derrumbe! ¡Derrumbe! ¡Socorro! ¡Socorro!

Ahora venía la parte peliaguda. Con una mano agitó la tierra que lo rodeaba, haciendo que los terrones se derrumbaran alrededor de su cabeza. Con la otra mano se quitó la iris-cam del ojo izquierdo y la metió en el ojo del conejo. Teniendo en cuenta la oscuridad casi absoluta y la confusión del desprendimiento, sería casi imposible detectar el cambiazo.

—¡Julius! Por favor. Ayúdame.

—¡Mantillo! ¿Qué pasa? ¿Cuál es tu posición?

«¿Que cuál es mi posición?», pensó el enano sin poder creer lo que estaba oyendo. Aun en los momentos de supuesta crisis, el comandante era incapaz de olvidarse de su precioso protocolo.

—Yo... Ay... —El enano prolongó al máximo el grito de su agonía final, que fue apagándose hasta acabar en una especie de gárgara.

Un poco melodramático quizá, pero Mantillo sentía auténtica debilidad por la teatralidad. Lanzando una última mirada de pena al animal moribundo, se desencajó la mandíbula y puso rumbo al sureste. La libertad lo estaba esperando.

CAPÍTULO VIII: **EL TROL**

 REMO inclinó el cuerpo hacia delante y empezó a rugir al micrófono.

—¡Mantillo! ¿Qué pasa? ¿Cuál es tu posición?

Potrillo estaba golpeando el teclado con furia.

—Hemos perdido el contacto por audio. Y también sus movimientos.

—Mantillo, háblame, maldita sea...

—Voy a comprobar sus constantes vitales... ¡Por todos los dioses!

—¿Qué? ¿Qué pasa?

—El corazón se le ha vuelto loco. Late como el de un conejo...

—¿Un conejo?

—No, espere, se ha...

—¿Qué? —exclamó el comandante, sin aliento, horrorizado ante la posibilidad de que le confirmase sus peores temores.

Potrillo se echó hacia atrás en la silla.

—Se ha parado. Su corazón ha dejado de latir.

—¿Estás seguro?

—Los monitores no mienten. Pueden leerse todas las constantes vitales con la iris-cam. No se oye nada. Ha muerto.

Remo no podía creerlo. Mantillo Mandíbulas, un personaje constante en su vida. ¿Muerto? No podía ser cierto.

—Lo consiguió, ¿sabes, Potrillo? Recuperó un ejemplar del Libro, nada menos, y nos confirmó que Canija sigue con vida.

El centauro frunció el ceño un instante.

—Ya, pero es que...

—¿Qué? —exclamó Remo con suspicacia.

—Bueno, es que durante unos segundos, justo antes del final, su ritmo cardiaco iba a una velocidad muy superior a la normal.

—A lo mejor ha sido un error de lectura.

Potrillo no estaba demasiado convencido.

—Lo dudo. Mis máquinas no cometen errores.

—¿Qué otra explicación podría haber? Todavía dispones de contacto visual, ¿no es así?

—Sí. Y esos ojos están muertos, de eso no hay duda. No queda ni una chispa de electricidad en ese cerebro, la cámara funciona con su propia batería.

—Bueno, pues eso es todo entonces. No hay otra explicación.

Potrillo asintió con la cabeza.

—Eso parece. A menos que... No, sería demasiado fantástico.

—Se trata de Mantillo Mandíbulas. Con él, nada es demasiado fantástico.

Potrillo abrió la boca para exponer su inverosímil teoría, pero antes de que pudiera hablar, la puerta de la cabina de la lanzadera se abrió de golpe.

—¡Lo tenemos! —exclamó una voz triunfante.

—¡Sí! —afirmó una segunda voz—. ¡Fowl ha cometido un error!

Remo se volvió en su silla giratoria. Eran Argon y Cumulus, los supuestos analistas del comportamiento.

—Vaya, así que al final hemos decidido ganarnos el sueldo, ¿eh?

Pero, unidos por el entusiasmo, los profesores no se acobardaban tan fácilmente. Cumulus tuvo incluso la temeridad de hacer caso omiso del sarcasmo de Remo y fue esto, más que nada, lo que hizo que el comandante se incorporase en su silla para prestarles toda su atención.

Argon pasó junto a Potrillo e introdujo un láser disc en el aparato reproductor de la consola. Apareció la cara de Artemis Fowl tal como se veía a través de la iris-cam del comandante Remo.

—Estaremos en contacto —dijo la voz grabada del comandante—. No te preocupes, encontraré la salida.

La cara de Fowl desapareció momentáneamente mientras se levantaba de la silla. Remo alzó la vista justo a tiempo para captar su siguiente declaración espeluznante.

—Está bien, pero recuerde: nadie de su raza tiene permiso para entrar aquí mientras yo esté vivo.

Argon pulsó la tecla de la pausa con aire triunfante.

—¡Ahí! ¿Lo ven?

La tez de Remo perdió todos sus restos de palidez.

—¿Ahí? ¿Ahí qué? ¿Qué es lo que se supone que tenemos que ver?

Cumulus chasqueó la lengua, como alguien que habla con un niño retrasado. Un error, como descubriría de inmediato.

El comandante lo agarró por la barba puntiaguda en menos de un segundo.

—Vamos a ver —dijo con una voz engañosamente tranquila—. Haga creer que andamos escasos de tiempo y limítese a explicármelo sin comentarios ni chasquidos de ninguna clase.

—El humano dijo que no podríamos entrar mientras él estuviese vivo —explicó Cumulus con un hilo de voz.

—¿Y qué?

Argon tomó el relevo.

—Que... si no podemos entrar mientras esté vivo...

Remo dio un respingo.

—Podremos entrar cuando esté muerto.

Cumulus y Argon esbozaron una amplia sonrisa de satisfacción.

—Exactamente —contestaron al unísono.

Remo se rascó la barbilla.

—No sé. Legalmente, estaríamos entrando en un terreno muy delicado.

—En absoluto —replicó Cumulus—. Es gramática elemental. El humano afirmó específicamente que la entrada estaba prohibida mientras él estuviese vivo, lo que equivale a una invitación a entrar cuando esté muerto.

El comandante seguía teniendo sus dudas.

—La invitación es sólo una insinuación, en el mejor de los casos.

—No —le interrumpió Potrillo—. Tienen razón. El caso tiene base jurídica. Una vez que Fowl esté muerto, la puerta está abierta de par en par. Lo ha dicho él mismo.

—Tal vez.

—Tal vez nada —espetó Potrillo—. ¡Por favor, Julius! ¿Qué más necesita? Tenemos una situación crítica, por si no se ha dado cuenta.

Remo asintió despacio.

—Uno, tienes razón. Dos, lo voy a hacer. Tres, buen trabajo, vosotros dos. Y cuatro, si me vuelves a llamar Julius otra vez, Potrillo, te comerás esos cascos que tienes en las patas. Ahora ponme con el Consejo. Necesito su aprobación para ese oro.

—Enseguida, comandante Remo, lo que usted diga, su señoría. —Potrillo sonrió y dejó pasar el comentario sobre comerse sus propios cascos por el bien de Holly.

—Así que les enviamos el oro —masculló Remo, pensando en voz alta—. Ellos sueltan a Holly, hacemos un lavado azul de toda la zona y entramos para reclamar el rescate. Muy sencillo.

—Tan sencillo que es hasta brillante —añadió Argon entusiasmado—. Un golpe maestro para nuestra profesión, ¿no está de acuerdo, doctor Cumulus?

La cabeza de Cumulus echaba humo ante las perspectivas.

—Conferencias, contratos para escribir libros... ¡Sólo los derechos de la película valdrán una fortuna!

—Que esos sociólogos intenten explicarlo con sus teorías de psicología social. Esto da al traste con la vieja hipótesis de que las privaciones son las causantes del comportamiento antisocial. Ese tal Fowl no ha pasado hambre en su vida.

—Existen muchas clases de hambre —señaló Argon.

—Cierto, amigo mío. Hambre de éxito, hambre de dominación, hambre de...

Remo interrumpió su perorata.

–¡Fuera! ¡Fuera los dos antes de que me den ganas de estrangular a alguien! Y si alguna vez oigo repetir algo de esto en un programa de sobremesa, sabré de dónde procede.

Los asesores salieron con cuidado, decididos a no llamar a sus agentes hasta que estuviesen lo bastante lejos de allí.

–No sé si el Consejo estará de acuerdo con esto –admitió Remo cuando se hubieron marchado–. Es mucho oro.

Potrillo levantó la vista de la consola.

–¿Cuánto, exactamente?

El comandante le pasó un trozo de papel por encima de la consola.

–Lo que pone ahí.

–¡Eso es muchísimo! –exclamó Potrillo lanzando un silbido–. Una tonelada. En lingotes pequeños sin marcar. Sólo de veinticuatro quilates. Bueno, al menos es una bonita cifra redonda.

–Menudo consuelo. Me aseguraré de decirles eso a los del Consejo. ¿Has conseguido ya esa línea?

El centauro soltó un gruñido, un gruñido negativo. La verdad es que era una auténtica desfachatez, gruñirle a un superior. Sin embargo, a Remo no le quedaban energías para regañarle, pero decidió apuntárselo mentalmente: «Cuando todo esto acabe, congelar la paga de Potrillo varias décadas». Se restregó los ojos, exhausto. El cambio horario empezaba a hacer mella en él. Aunque su cerebro no le dejaría dormir porque estaba despierto cuando se había iniciado la parada de tiempo, su cuerpo le pedía a gritos un poco de descanso.

Se levantó de la silla y abrió la puerta para que entrase algo de aire. El aire estaba viciado, una característica muy frecuente en una parada de tiempo. Ni siquiera las moléculas podían escapar de un campo temporal, conque mucho menos un niño humano.

Había actividad en el portal, mucha actividad. Una multitud de tropas se concentraron en torno a una aerojaula. Cudgeon estaba de pie a la cabeza del desfile de soldados, y todos los demás se dirigían hacia él. Remo bajó a reunirse con ellos.

—¿Qué es esto? —inquirió en un tono nada agradable—. ¿Un circo?

Las facciones del rostro de Cudgeon estaban pálidas, pero su gesto era decidido.

—No, Julius. Es el final del circo.

Remo asintió.

—Ya entiendo. ¿Y estos son los payasos?

Potrillo asomó la cabeza por la puerta.

—Siento interrumpir su prolongada metáfora sobre el circo, pero ¿qué diablos es eso?

—Sí, teniente —dijo Remo, señalando con la cabeza hacia la aerojaula flotante—. ¿Qué diablos es eso?

Cudgeon se armó de valor inspirando hondo varias veces.

—He arrancado una hoja de tu libro, Julius.

—¿Ah, sí?

—Sí. Tú optaste por enviar a un proscrito ahí dentro, así que ahora yo voy a hacer lo mismo.

Remo esbozó una sonrisa peligrosa.

—Tú no puedes optar por hacer nada, teniente, no sin mi permiso.

Cudgeon dio un paso hacia atrás inconscientemente.

—He hablado con los del Consejo, Julius. Cuento con todo su apoyo.

El comandante se volvió hacia Potrillo.

—¿Es eso cierto?

—Eso parece. Acabo de tener acceso a la línea externa. Ahora es la fiesta de Cudgeon. Les ha contado a los del Consejo lo del rescate y lo del señor Mandíbulas. Ya sabe cómo se ponen esos ancianos cuando se trata de desprenderse de su oro.

Remo se cruzó de brazos.

—Ya me habían advertido sobre ti, Cudgeon. Me dijeron que me clavarías una puñalada por la espalda. No lo creí, fui un ingenuo.

—No se trata de nosotros dos, Julius. Se trata de la misión. Lo que hay dentro de la aerojaula es nuestra única posibilidad de salir de esta.

—¿Y qué hay en la jaula? No, no me lo digas. La única criatura aparte de Mandíbulas que carece de poderes mágicos en los Elementos del Subsuelo. Y el primer trol que hemos logrado capturar vivo en más de un siglo.

—Exactamente. La criatura perfecta para derrotar a nuestro adversario.

Las mejillas de Remo brillaron por el esfuerzo de contener su ira.

—No creo que te lo hayas planteado en serio.

—Reconócelo, Julius, es una idea muy parecida a la que has tenido tú.

—No, no lo es. Mantillo Mandíbulas tomaba sus propias decisiones. Conocía los riesgos.

—¿Mandíbulas está muerto?

Remo se restregó los ojos de nuevo.

—Sí, eso parece. Un derrumbamiento.

—Lo cual demuestra que tengo razón. A un trol no lo liquidarán tan fácilmente.

—¡Es un animal estúpido! ¿Es que no te das cuenta? ¿Cómo va a seguir instrucciones un trol?

Cudgeon sonrió con una renovada confianza que venció a su aprensión.

—¿Qué instrucciones? Sólo tenemos que apuntar hacia la casa y quitarnos de en medio. Te garantizo que esos humanos nos suplicarán de rodillas que entremos a rescatarlos.

—¿Y qué pasa con mi agente?

—Traeremos al trol de vuelta y lo encerraremos con llave mucho antes de que la capitana Canija corra ningún peligro.

—Me lo garantizas, ¿verdad?

Cudgeon hizo una pausa.

—Es un riesgo que estoy dispuesto..., que el Consejo está dispuesto a correr.

—Política —escupió Remo—. Para ti todo esto se reduce a una cuestión de política, Cudgeon. Una bonita pluma más en tu gorra en tu camino a un asiento en el Consejo. Me das ganas de vomitar.

—Sea como sea, vamos a tirar adelante este plan. El Consejo me ha nombrado comandante en jefe, así que si no puedes dejar a un lado las rencillas personales, apártate de mi camino de una vez.

Remo se apartó a un lado.

—No te preocupes, comandante. No quiero tener nada que ver con esta carnicería. El mérito es todo tuyo.

Cudgeon esbozó su expresión más sincera.

—Julius, a pesar de lo que creas, sólo pienso en los intereses de las Criaturas.

–De una criatura en particular –gruñó Remo.

Cudgeon decidió optar por tomarlo con optimismo.

–No tengo por qué quedarme aquí escuchándote. Cada segundo hablando contigo es un segundo perdido.

Remo lo miró directamente a los ojos.

–Eso hacen unos seiscientos años perdidos juntos, ¿eh, amigo?

Cudgeon no respondió. ¿Qué podía decir? La ambición tenía un precio, y ese precio era la amistad. Cudgeon se volvió hacia su escuadrón, un grupo de duendecillos seleccionados cuidadosamente que sólo le eran leales a él.

–Llevad la aerojaula a la arboleda. No daremos la luz verde hasta que yo dé la orden.

Pasó junto a Remo con los ojos fijos en cualquier otra cosa que no fuese su antiguo amigo. Potrillo no iba a dejarle marchar sin hacer un comentario de los suyos.

–Eh, Cudgeon.

El comandante en jefe no estaba dispuesto a tolerar ese tonillo, no en su primer día.

–Cuidado con el modo en que te diriges a mí, Potrillo. No hay nadie imprescindible.

El centauro soltó una risotada.

–Y que lo digas. Eso es lo malo de la política, que no hay nadie imprescindible.

Cudgeon se sintió intrigado por sus palabras muy a su pesar.

–Sé que si se tratase de mí –prosiguió Potrillo– y tuviese sólo una oportunidad, una sola, de plantar mi trasero en ese Consejo, no confiaría mi futuro a un trol, eso desde luego.

Y de repente, la renovada confianza de Cudgeon se evaporó por completo, dando paso a una palidez brillante. Se limpió el sudor de una ceja, corriendo tras la aerojaula en movimiento.

—Nos veremos mañana —gritó Potrillo—, cuando te encargues de limpiar mi basura.

Remo se echó a reír. Posiblemente era la primera vez que uno de los comentarios de Potrillo le parecía gracioso.

—Bien hecho, Potrillo —dijo sonriendo—. Dale a ese traidor donde más le duele, justo en la ambición.

—Gracias, Julius.

La sonrisa desapareció con más rapidez que una babosa frita en la cantina de la PES.

—Ya te he dicho que no me gusta que me llames Julius, Potrillo. Ahora, vuelve a abrir esa línea de comunicación con el exterior. Quiero ese oro listo en cuanto fracase el plan de Cudgeon. Presiona a todos los que me apoyan en el Consejo. Estoy casi seguro de que Lope está conmigo, y Cahartez. Tal vez también Vinyáya. Siempre ha tenido debilidad por mí, aunque no me extraña, puesto que soy irresistible.

—Estará bromeando, imagino.

—Nunca bromeo —contestó, y lo dijo muy serio.

Holly tenía una especie de plan: merodear por ahí protegida con el escudo, recuperar unas cuantas armas de los duendes y luego provocar un caos hasta que Fowl se viese obligado a liberarla. Y si de paso producía daños materiales en la mansión por valor de varios millones de libras irlandesas, mejor que mejor.

Hacía años que Holly no se sentía tan bien. Sus ojos brillaban cargados de poderes mágicos y cada centímetro de su piel soltaba chispas. Había olvidado lo bien que le sentaba ir a tope de magia.

La capitana Canija estaba al mando de la situación, a la caza. Aquello era para lo que la habían entrenado. Al principio, cuando había empezado todo aquel lío, eran los Fangosos quienes jugaban con ventaja, pero ahora se había dado la vuelta a la tortilla. Ella era la cazadora, y ellos, la presa.

Holly subió la enorme escalera, siempre atenta a la presencia del sirviente gigante. Ese era un individuo con el que no estaba dispuesta a jugársela; si aquellos dedos se cerraban alrededor de su cráneo, sería historia, con casco o sin él. Suponiendo que encontrase un casco.

La inmensa casa era como un mausoleo, sin un solo vestigio de vida en el interior de sus habitaciones abovedadas. Sin embargo, los retratos producían escalofríos. Todos con ojos de Fowl, suspicaces y brillantes. Holly tomó la decisión de quemarlos en cuanto recuperase su Neutrino 2000. Pura venganza, tal vez, pero plenamente justificada teniendo en cuenta todo lo que Artemis Fowl le había hecho pasar.

Subió los escalones con rapidez, siguiendo la curva que conducía al descansillo del piso superior. Un reguero de luz pálida se derramaba por debajo de la última puerta del pasillo. Holly apoyó la palma de la mano contra la madera para percibir las vibraciones. Notó cierta actividad. Gritos y pasos. Los pasos venían en su dirección.

Holly retrocedió de un salto y pegó el cuerpo a la pared de velvetón. Uy, por los pelos... Una figura descomunal apareció en el umbral de la puerta y echó a andar por el pasillo, dejando un remolino de corrientes de aire a su paso.

—¡Juliet! —gritó, y el nombre de su hermana quedó suspendido en el aire mucho tiempo después de que hubiese desaparecido escaleras abajo.

«No te preocupes, Mayordomo —pensó Holly—. Lo está pasando en grande pegada a Luchamanía.» Sin embrago, la puerta abierta le brindaba una oportunidad de oro. Se deslizó a través de ella antes de que el brazo mecánico volviese a cerrarla.

Artemis Fowl la estaba esperando con unos filtros antiescudo acoplados a sus gafas de sol.

—Buenas noches, capitana Canija —empezó a decir, con la seguridad en sí mismo aparentemente intacta—. Aun a riesgo de que suene a tópico, te estaba esperando.

Holly no respondió, ni siquiera miró a su captor a los ojos, sino que utilizó sus habilidades para escanear la habitación, deteniendo la mirada un instante en cada superficie.

—Aún sigues ligada a las promesas que hiciste esta noche...

Sin embargo, Holly no le estaba escuchando. Echó a correr hacia una mesa de trabajo de acero inoxidable atornillada a la pared del otro extremo.

—Así que tu situación no ha cambiado. Sigues siendo mi rehén.

—Sí, sí, ya lo sé —masculló Holly, pasando los dedos por las hileras de artilugios confiscados al equipo de Recuperación. Escogió un casco medio escondido y se lo puso encima de sus orejas puntiagudas. Ahora estaba a salvo. Cualquier otra orden que le diera Fowl no significaba nada a través de la visera reflectora. Un micrófono metálico se extendió automáticamente. El contacto sería inmediato.

—... en frecuencias giratorias. Transmitiendo en frecuencias giratorias. Holly, si me estás escuchando, ponte a cubierto.

Holly reconoció la voz de Potrillo. Algo muy familiar en una situación caótica.

—Repito: ponte a cubierto. Cudgeon va a enviar a un...

—¿Algo que deba saber yo? —preguntó Artemis.

—Calla —le ordenó Holly entre dientes, preocupada por el tono de la voz habitualmente frívola de Potrillo.

—Repito, van a enviar a un trol para asegurar tu liberación.

Holly se asustó. Cudgeon estaba al mando de la operación. No eran buenas noticias.

Fowl volvió a interrumpirla.

—¿Sabes? No es de buena educación no hacerle caso a tu anfitrión.

Holly soltó un gruñido.

—Bueno, ya basta.

La capitana preparó el puño, con los dedos apiñados en un apretado muñón. Artemis no pestañeó. ¿Por qué iba a hacerlo? Mayordomo siempre intervenía antes de que le lloviesen los puñetazos, pero entonces algo le llamó la atención, una figura enorme corriendo por la escalera en el monitor del primer piso. Era Mayordomo.

—Muy bien, niño rico —dijo Holly con desprecio—. A ver cómo te las arreglas tú solito.

Y antes de que Artemis tuviera tiempo de abrir los ojos como platos, Holly añadió unos cuantos kilos más de impulso a su codo y golpeó a su secuestrador en plena nariz.

—Ay —exclamó, cayendo de culo.

—¡Ah, qué bien! Eso ha estado genial.

Holly se concentró en la voz que le zumbaba en el oído.

—... hemos puesto un bucle en las cámaras exteriores para que los humanos no vean venir nada por la arboleda, pero está de camino, confía en mí.

—Potrillo. Potrillo, te recibo.

—¿Holly? ¿Eres tú?

—La misma que viste y calza. Potrillo, no hay ningún bucle. Veo todo lo que está pasando aquí.

—¡El muy astuto! Debe de haber reiniciado el sistema.

La arboleda era un hervidero de actividad. Cudgeon estaba allí, dando órdenes con altanería a su equipo de duendecillos. En el centro de todo aquel barullo se erguía una aerojaula de cinco metros de altura que flotaba encima de un colchón de aire. La jaula estaba justo delante de la puerta de la mansión, y los técnicos estaban colocando un cordón de aislamiento en la pared circundante. Cuando se activase, las cargas explosivas de aleación que formaban el cordón de aislamiento estallarían de forma simultánea y dejarían la puerta hecha pedazos. Una vez que el polvo se disipase, el trol sólo podría avanzar en una dirección: hacia el interior de la mansión.

Holly examinó los demás monitores. Mayordomo había conseguido sacar a Juliet de la celda a rastras. Habían subido desde el nivel de la bodega y ahora estaban cruzando el vestíbulo. Justo en la línea de fuego.

—D'Arvit —exclamó, mientras iba en dirección a la superficie de trabajo.

Artemis estaba tumbado apoyado en los codos.

—Me has dado un puñetazo —dijo con incredulidad.

Holly se colocó un par de alas Colibrí.

—Exactamente, Fowl. Y todavía me quedan muchos más aquí en la mano, así que quédate donde estás, si sabes lo que te conviene.

Por una vez en su vida, Artemis se dio cuenta de que no tenía una respuesta ingeniosa. Abrió la boca con la esperanza de que su cerebro le suministrara la contestación cortante habitual, pero no le salió nada.

Holly se metió su Neutrino 2000 en la pistolera.

—Muy bien, Fangosillo. Se ha acabado la hora del recreo. Ahora le toca el turno a los profesionales. Si te portas bien, te compraré un chupa-chups cuando vuelva.

Y cuando ya hacía largo rato que Holly se había ido, remontando el vuelo bajo las viejas vigas del roble de la entrada, Artemis dijo:

—No me gustan los chupa-chups.

La respuesta había sido del todo inadecuada y Artemis se horrorizó de sí mismo al instante. Patético: «No me gustan los chupa-chups». Ningún cerebro del crimen organizado que se precie diría la palabra *chupa-chups* ni muerto. Iba a tener que elaborar una base de datos con respuestas ingeniosas para ocasiones como esa.

Lo más seguro es que Artemis hubiese permanecido así un buen rato, completamente indiferente a lo que ocurría a su alrededor, de no haber sido porque la puerta principal estalló de repente e hizo que temblasen hasta los cimientos de la mansión. Una cosa así basta para despertar a cualquiera de sus ensoñaciones diurnas.

Un duendecillo aterrizó ante el comandante en jefe Cudgeon.

—El cordón está listo, señor.

Cudgeon asintió con la cabeza.

—¿Está seguro de que está bien sujeto, capitán? No quiero que ese trol se vaya por el camino equivocado.

—Está más sujeto que la cartera de un goblin. Ni una sola

burbuja de aire puede penetrar en ese cordón. Está más sujeto que un gusano apestoso...

—Muy bien, capitán —lo interrumpió Cudgeon con impaciencia antes de que el duendecillo pudiese completar su grá-
fica analogía.

Junto a ellos, la aerojaula dio una violenta sacudida y por
poco se cae del colchón de aire.

—Será mejor que lancemos a ese cabrón, comandante. Si
no lo soltamos pronto, mis chicos se van a pasar la próxima
semana limpiando...

—De acuerdo, capitán, de acuerdo. Suéltalo, suéltalo de
una vez.

Cudgeon corrió a colocarse detrás del escudo protector y
garabateó una nota en la pantalla de cristal líquido de su
agenda electrónica. Nota: «Recordar a los duendecillos que
cuiden su lenguaje y no digan palabrotas. Al fin y al cabo,
ahora soy el comandante».

El capitán malhablado en cuestión se dirigió al conductor
de la aerojaula.

—Vuélala, Chix. Vuela esa puñetera puerta de una maldita
vez.

—Sí, señor. Volar la puñetera puerta. Entendido.

Cudgeon se estremeció. Al día siguiente habría una asam-
blea general. A primera hora de la mañana. Para entonces
tendría la insignia de comandante en la solapa. Hasta un
duendecillo soltaría menos tacos en su presencia cuando viese aquel logotipo de la bellota triple.

Chix se puso las gafas antimetralla, a pesar de que la cabina tenía un parabrisas de cuarzo. Las gafas eran guapísi-
mas. A las chicas les encantaban, o al menos, eso creía el

conductor. Se veía a sí mismo como un seductor irresistible. Así eran los duendecillos: dales un par de alas y se creen el terror de las nenas. Pero los desafortunados intentos de Chix Verbil por impresionar a las damas son, una vez más, otra historia. En este relato en particular, sólo desempeña una función, y esa función consiste en pulsar melodramáticamente el botón del detonador. Cosa que hizo, con gran aplomo, además.

Dos docenas de cargas controladas estallaron en sus recámaras y arrancaron de sus soportes dos docenas de cilindros de aleación, que salieron disparados a más de mil quinientos kilómetros por hora. Con el impacto, cada barra pulverizó el área de contacto además de los quince centímetros circundantes y consiguió, efectivamente, volar la puñetera puerta de una maldita vez, tal como diría el capitán.

Cuando el polvo se hubo despejado, los soldados levantaron la pared de contención del interior de la jaula y empezaron a dar golpes con las manos en los paneles laterales.

Cudgeon se asomó por detrás del escudo de protección.

—¿Todo despejado, capitán?

—Un segundo, comandante. ¿Chix? ¿Qué hace ese mamón?

Chix comprobó el monitor de la cabina.

—Se está moviendo. Los golpes lo están asustando. Está sacando las garras. Madre mía..., ese cabrón es inmenso. No me gustaría estar en el pellejo de esa preciosidad de Reconocimiento si se interpone en su camino.

Cudgeon sintió un remordimiento momentáneo, que disipó con su fantasía favorita: una imagen de sí mismo arrellanándose en un asiento de velvetón beis del Consejo.

La jaula empezó a dar unas fuertes sacudidas que por poco derriban a Chix de su asiento. Se agarró al mismo como un jinete de rodeo.

—¡Vaya con la bestia! Se ha puesto en marcha. Todos a sus puestos, chicos. Tengo el presentimiento de que dentro de poco nos van a pedir ayuda.

A Cudgeon no le pareció necesario acudir a su puesto. Prefería dejar esas cosas a los soldados de infantería. El comandante en jefe se consideraba demasiado importante para arriesgarse en una situación de peligro. Por el bien de las Criaturas en general, era mejor que se quedase fuera de la zona de operaciones.

Mayordomo bajó los escalones de cuatro en cuatro. Posiblemente, era la primera vez que abandonaba al amo Artemis en una situación crítica, pero Juliet era su familia, y estaba claro que le había pasado algo malo a su hermanita pequeña. Esa elfa le había dicho algo a su hermana y ahora estaba encerrada en la celda riendo sin parar. Mayordomo temía lo peor. Si algo le sucedía a Juliet, no sabía cómo iba a poder seguir viviendo con su conciencia.

Sintió que un reguero de sudor le resbalaba por la coronilla de su cabeza afeitada. Toda la situación se les estaba yendo de las manos en las direcciones más insospechadas. Duendes, magia y ahora una rehén suelta por la mansión. ¿Cómo se suponía que iba a poder controlar el asunto? Hacía falta un equipo entero de cuatro hombres para proteger al político más despreciable, pero se suponía que él tenía que apañárselas solito para contener aquella situación imposible.

Mayordomo echó a correr por el pasillo hacia lo que hasta entonces había sido la celda de la capitana Canija. Juliet estaba despatarrada en el catre, embelesada frente a una pared de cemento.

—¿Qué haces? —le preguntó entre jadeos al tiempo que sacaba la Sig Sauer de nueve milímetros con una facilidad pasmosa.

Su hermana ni siquiera lo miró.

—Calla, simio bruto. Ahora le toca a Loui, La Máquina del Amor. No es tan duro como parece. Yo podría con él.

Mayordomo parpadeó. No decía más que incoherencias. Evidentemente, la habían drogado.

—Vámonos. Artemis nos quiere arriba en la sala de operaciones.

Juliet señaló la pared con un dedo impecable.

—Artemis puede esperar. En esta pelea compiten por el título intercontinental. Y es un ajuste de cuentas: Louie se comió el cerdito mascota de Hogman.

El criado escrutó la pared. Allí no se veía nada. No tenía tiempo para más tonterías.

—Muy bien, pero vámonos —ordenó soltando un gruñido y colgándose a su hermana de uno de sus anchos hombros.

—¡Nooo! ¡Bruto, más que bruto! —protestó la chica al tiempo que le golpeaba la espalda con unos puños diminutos—. ¡Ahora nooo! ¡Hogman! ¡Hogmaaan!

Mayordomo hizo caso omiso de sus protestas y echó a correr de nuevo por el pasillo. ¿Quién puñetas era aquel tal Hogman? Uno de sus novios, seguro. En el futuro, iba a tener que llevar la cuenta de todos los tipos que apareciesen por la caseta de vigilancia.

–¿Mayordomo? Responde.

Era Artemis, que lo llamaba por el intercomunicador de mano. Mayordomo se subió a su hermana unos centímetros más arriba para poder llegar al cinturón.

–¡Chupa-chups! –exclamó su jefe.

–¿Cómo dices? Me ha parecido oír...

–Hum... Quiero decir que salgáis de ahí. ¡Poneos a cubierto! ¡Poneos a cubierto!

«¿Poneos a cubierto?» El término militar sonaba muy raro en boca del amo Artemis. Como un anillo de diamantes en una bolsa de patatas fritas.

–¿Que nos pongamos a cubierto?

–Sí, Mayordomo. Que os escondáis. Creí que hablarte en términos primarios sería el camino más rápido para llegar a tus funciones cognitivas. Evidentemente, me equivocaba.

Ahora sí le había entendido. Mayordomo escaneó el vestíbulo para encontrar un rincón donde meterse. No tenía demasiadas opciones. El único refugio lo proporcionaban las armaduras medievales que jalonaban las paredes. El sirviente se metió en el hueco que había detrás de un caballero del siglo XIV, con lanza y maza y todo.

Juliet dio unos golpecitos en el peto del caballero.

–Te crees muy duro, ¿verdad? Pues podría hacerte picadillo con una sola mano.

–Cállate –bisbiseó Mayordomo.

Contuvo el aliento y se puso a escuchar. Algo se acercaba por la puerta principal. Algo muy grande. Mayordomo se asomó lo suficiente para vigilar el vestíbulo con el ojo derecho...

Entonces podría decirse que la entrada explotó, pero ese verbo en particular no hace justicia a lo que pasó en realidad.

Sería más exacto decir que la destrozó en fragmentos infinite-simales. Mayordomo había visto algo así una vez cuando un terremoto de magnitud siete había destrozado la finca de un capo del narcotráfico colombiano segundos antes de que él fuese a volarla por los aires. Esta vez era ligeramente distinto. Más localizado. Muy profesional. Eran las clásicas tácticas anti-terroristas. Atacadlos con humo y ruido y luego entrad mien-tras los objetivos están desorientados. Pasara lo que pasase a continuación, no podía ser nada bueno. Estaba seguro, com-pletamente seguro.

Los remolinos de polvo se fueron despejando despacio y depositaron una capa pálida sobre la alfombra tunecina. La señora Fowl se pondría furiosa, si es que volvía a poner un pie fuera de la puerta del desván alguna vez. El instinto de Mayordomo le aconsejó que se moviera, que recorriese la planta baja en *zigzag* para subir al piso superior, que se des-plazase agachado para minimizar el objetivo. Aquel era el momento perfecto para hacerlo, antes de que se despejase la visibilidad. En cualquier momento, una lluvia de proyectiles atravesaría el arco de entrada y el último lugar en el que que-rría estar era en el nivel inferior.

Y cualquier otro día, Mayordomo se habría movido, ha-bría estado en mitad de aquella escalera antes de darle tiempo a su cerebro para pensarlo mejor. Sin embargo, aquel día lle-vaba a su hermanita pequeña, que no dejaba de soltar inco-herencias, a cuestas, y lo último que deseaba en este mundo era exponerla a un peligrosísimo fuego de asalto. En el estado en que se encontraba, Juliet seguramente retaría a las tropas de duendes a un combate de lucha libre. Y aunque su her-mana hablaba como una mujer dura, en realidad era sólo una chiquilla. No habría ningún combate de lucha libre con personal militar entrenado, así que Mayordomo se agachó, apoyó a Juliet contra un tapiz y comprobó el seguro de su arma. Estaba quitado. Perfecto. «Venid a por mí, duendecillos.»

Algo se movió entre la nube de polvo, y Mayordomo supo inmediatamente que ese algo no era humano. El sirviente había estado en demasiados safaris como para no reconocer a un animal en cuanto lo veía. Estudió el modo de andar de la criatura. Posiblemente simiesco. Tenía una estructura corporal superior similar a la de un simio, pero era más grande que cualquier primate que Mayordomo hubiese visto en su vida. Si se trataba de un simio, su arma no le iba a servir de mucho. Podías descargar cinco cartuchos en el cráneo de un simio macho y todavía le daría tiempo a comerte enterito antes de que su cerebro se diese cuenta de que estaba muerto.

Sin embargo, no era un simio. Los ojos de los simios no eran aptos para la visión nocturna, y los de aquella criatura sí. Unas pupilas brillantes de color carmesí, semiocultas tras una maraña de pelo. También tenía colmillos, pero no de elefante. Estos eran curvados y con los bordes dentados. Auténticas armas de degollar. Mayordomo sintió un hormigueo en la parte baja de su estómago. Ya había tenido la misma sensación una vez, en la academia suiza. Era miedo.

La criatura surgió de la polvareda. Mayordomo dio un grito ahogado. Otra vez, el primero que daba desde la academia. Aquel no se parecía a ningún adversario al que se hubiese enfrentado antes. El criado se dio cuenta entonces de lo que habían hecho los duendes: habían enviado a un cazador primario, una criatura sin ningún interés por la magia o las reglas, un monstruo que se limitaría a matar cualquier cosa que se interpusiese en su camino, sin que importara a qué especie pertenecía. Era el depredador perfecto. Saltaba a la vista por las puntas de sus dientes, capaces de desgarrar la carne sin hacer demasiada fuerza siquiera, por la sangre seca incrustada bajo sus garras y por el odio intenso que transmitían sus ojos.

El trol dio un paso hacia delante y entrecerró los ojos bajo la luz de la araña de cristal. Unas garras amarillentas arañaron las baldosas de mármol, soltando chispas a su paso. Ahora estaba olisqueando el aire, lanzando nubecillas curiosas por la nariz, con la cabeza inclinada a un lado. Mayordomo ya había visto aquella pose antes, en los hocicos de los pit bulls muertos de hambre, justo antes de que sus cuidadores rusos los dejaran sueltos para emprender la caza del oso.

La cabeza peluda se quedó inmóvil y su hocico señaló directamente al escondite de Mayordomo. No era ninguna coincidencia. El criado lo espió entre los dedos de cota de malla de un guante. Ahora venía el acecho. Una vez que había captado el olor, el depredador intentaría realizar un avance lento y silencioso antes de asestar el ataque relámpago.

Sin embargo, al parecer el trol no había leído el manual del perfecto depredador, porque no se molestó en avanzar con sigilo, sino que pasó directamente al ataque relámpago. Moviéndose a una velocidad increíble para Mayordomo, el trol atravesó el vestíbulo y tiró al suelo de un manotazo la armadura medieval como si fuera el maniquí de un escaparate.

Juliet parpadeó.

—Oooh —exclamó con admiración—. Es Bob, El Yeti, el campeón canadiense de 1999. Creía que estabas en los Andes buscando a tus parientes.

Mayordomo no se molestó en sacarla de su error. Su hermana no estaba lúcida. Al menos, moriría feliz. Mientras su cerebro consideraba aquella mórbida observación, Mayordomo desenfundó el arma.

Apretó el gatillo con la rapidez que le permitió el mecanismo de la Sig Sauer. Dos en el pecho, tres entre los ojos. Ese era el plan. Consiguió descargarle los del pecho, pero el trol interfirió antes de que Mayordomo pudiese terminar la formación. La interferencia adoptó la forma de unos colmillos afilados como el borde de una guadaña, que esquivaron la guardia de Mayordomo. Se le enroscaron alrededor del tronco y le rasuraron su chaqueta reforzada con Kevlar como una cuchilla a través de papel de arroz.

Mayordomo sintió un dolor frío cuando el marfil dentado le perforó el pecho. Supo de inmediato que la herida era mortal. Le costaba mucho respirar. Había perdido un pulmón, y unas gotas de sangre ensuciaron la piel del trol. Su propia sangre. Nadie podía perder semejante cantidad de sangre y sobrevivir. Sin embargo, el dolor dio paso inmediatamente a una euforia muy extraña. Se trataba de una variedad de anestesia natural inyectada a través de varios canales de los colmillos de la bestia. Más peligrosa que el más mortal de los venenos. En unos minutos, Mayordomo no sólo dejaría de pelear, sino que iría derecho a la tumba entre ataques de risa tonta.

El criado intentó luchar contra la sustancia narcótica de su cuerpo, revolviéndose con furia entre las zarpas del trol. Pero todo era inútil. Su lucha terminó incluso antes de empezar.

El trol soltó un gruñido, arrojando el cuerpo flácido del humano por encima de su cabeza. La carne musculosa de Mayordomo se estrelló contra la pared a una velocidad que los huesos humanos eran incapaces de soportar. Se abrió una grieta en los ladrillos desde el suelo hasta el techo. La columna vertebral de Mayordomo también crujió. Ahora, aunque la pérdida de sangre no acabase con su vida, la parálisis sí acabaría con ella.

Juliet seguía bajo los efectos del *encanta*.

–Venga, hermano. Deja de hacer el panoli. Todos sabemos que te estás haciendo el muerto.

El trol se detuvo un momento, le picaba la curiosidad primaria el ver que aquella criatura no le tenía miedo. Habría sospechado que se trataba de una trampa si hubiese podido formular un pensamiento tan complejo. Sin embargo, al final, su apetito venció a la curiosidad. Aquella niña olía a carne. A carne fresca y tierna. La carne de la superficie era distinta, aderezada con los olores del exterior. Una vez que has comido carne al aire libre, es difícil volver a lo de antes. El trol se relamió los incisivos y extendió una mano peluda...

Holly se acercó las Colibrí al torso e inició una bajada en picado controlada. Pasó rozando los pasamanos y apareció en el pórtico bajo una cúpula de vidrios de colores. La luz de la parada de tiempo se filtraba de forma poco natural, deshaciéndose en rayos gruesos de color azul.

Luz, pensó Holly. Las largas del casco funcionaban antes, así que no había razón para que ya no funcionasen. Era demasiado tarde para el hombre, puesto que era un saco de huesos rotos, pero la chica... Todavía le quedaban unos segundos antes de que el trol le abriese las tripas.

Holly descendió en espiral a través de los haces de luz falsa, buscando en la consola del casco el botón de «Ruido».

Normalmente, esta opción sólo se utilizaba con los perros, pero en aquel caso podría proporcionarle unos segundos de distracción. Suficiente para poder llegar al nivel del suelo.

El trol estaba a punto de agarrar a Juliet por las axilas, una maniobra que normalmente se reservaba para las presas indefensas. Las garras se le clavarían por debajo de las costillas y le reventarían el corazón. De este modo, la carne sufría lesiones mínimas y no había tensión en el último minuto que pudiese endurecer la carne.

Holly activó el botón de ruido... y no pasó nada. Muy mala señal. Por regla general, cualquier trol se sentiría como mínimo molesto por el tono de frecuencia ultraelevada, pero aquella bestia en concreto ni siquiera meneó su peluda cabeza. Había dos posibilidades: una, el casco no funcionaba bien, y dos, aquel trol estaba más sordo que una tapia. Por desgracia, Holly no tenía forma de saberlo puesto que los tonos eran inaudibles para los oídos de los duendes.

Fuera cual fuese el motivo, Holly se vio obligada a adoptar una estrategia a la que preferiría no haber recurrido. El contacto directo. Cualquier cosa con tal de salvar una vida humana. Lo decía el artículo ocho, no tenía ninguna duda.

Holly tiró del acelerador, directamente de cuarta a marcha atrás. No era muy bueno para el cambio de marchas. Los mecánicos le pegarían una buena bronca por eso, en el caso improbable de que lograse sobrevivir a aquella pesadilla interminable. El efecto del cambio de marchas hizo que se diese la vuelta en pleno vuelo, de tal modo que los talones de sus botas apuntaron directamente a la cabeza del trol. Holly sintió un escalofrío. Dos encontronazos con el mismo trol. Increíble.

Los talones le dieron a la bestia en plena coronilla. A aquella velocidad, habría al menos media tonelada de fuerza de gravedad tras el contacto. Sólo el material elástico de refuerzo de su traje impidió que los huesos de sus piernas se rompieran en mil pedazos; no obstante, oyó el crujido de su rodilla. El dolor le agarró el cuerpo hasta alcanzarle la frente y dio al traste con su maniobra de recuperación. En lugar de volver a una altitud segura, Holly se estrelló contra la espalda del trol y se quedó enredada en el pelo de esparto.

El trol estaba, lógicamente, enfadado. Había algo que no sólo lo había distraído de su cena, sino que, además, ahora tenía ese algo incrustado en el pelo, además de las babosas limpiadoras. La bestia se enderezó y levantó la garra para alcanzarse la espalda. Las uñas curvadas rastrillaron el casco de Holly y dejaron unos surcos paralelos en la aleación. Juliet estaba a salvo de momento, pero Holly había ocupado su lugar en la lista de individuos en peligro de extinción.

El trol apretó la garra aún más fuerte y asió el recubrimiento antifricción del casco que, según Potrillo, era imposible de agarrar. Tendría que hablar muy seriamente con él. Si no en esta vida, entonces sin duda en la siguiente. La capitana Canija vio cómo su viejo enemigo la levantaba en el aire para ponérsela delante de los ojos. Holly intentó con todas sus fuerzas concentrarse pese al dolor y la confusión. La pierna se le balanceaba como un péndulo y la respiración del trol le sacudía la cara con unas oleadas rancias.

Pero antes tenía un plan, ¿no? Desde luego, no había bajado volando hasta allí para acobardarse y morir. Debía de haber una salida. Todos aquellos años en la academia tenían que haberle servido de algo. Fuera cual fuese el plan que se le había ocurrido antes de que aquel monstruo la atrapara, estaba suspendido en algún lugar entre el dolor y el *shock*. Fuera de su alcance.

–Las luces, Holly...

Oyó una voz en su cabeza. Seguramente estaba hablando sola. Una experiencia mística al borde de la muerte. Ja, ja, ja. Tenía que acordarse de contárselo a Potrillo... ¿Potrillo?

–Enciende las luces, Holly. Si esos colmillos entran en acción, morirás antes de que la magia surta efecto.

–¿Potrillo? ¿Eres tú? –Holly podía haber dicho esto en voz alta o podía haberlo pensado solamente, no estaba segura.

–¡Las largas de túnel, capitana! –Ahora oía una voz diferente. No tan adorable–. ¡Aprieta el botón ahora mismo! ¡Es una orden!

Ay, ay, ay... Era Remo. Había vuelto a fracasar en una misión. Primero Hamburgo, luego Martina Franca y ahora esto.

–Sí, señor –musitó, tratando de aparentar profesionalidad.

–¡Apriétalo! ¡Ahora, capitana Canija!

Holly miró directamente a los ojos despiadados del trol y apretó el botón. Muy melodramático. O lo habría sido, de haber funcionado las luces. Por desgracia para Holly, con las prisas había cogido uno de los cascos que Artemis Fowl había destripado, por lo que no quedaban restos de ruido, filtros ni luces de túnel. Las bombillas halógenas seguían allí, pero los cables se habían soltado durante los experimentos de Artemis.

–Vaya –soltó Holly sin aliento.

–¿Vaya? –repitió Remo lanzando un gruñido–. ¿Qué se supone que significa eso?

–Las luces no funcionan –explicó Potrillo.

–Oh... –La voz de Remo se fue apagando. ¿Qué más podía decir?

Holly miró al trol entrecerrando los ojos. Si no fuera porque sabía que los troles eran animales estúpidos, hubiese jurado que estaba sonriendo. Ahí de pie con la sangre chorreándole de varias heridas en el pecho, sonriendo. A la capitana Canija no le gustaba que le sonrieran a la cara.

—Voy a borrarte esa sonrisa de la boca —dijo, y golpeó al trol con la única arma que tenía a su alcance: su cabeza encasquetada.

Un gesto valiente, sin duda, pero igual de inútil que intentar cortar un árbol con una pluma. Por suerte, el desacertado golpe tuvo un efecto secundario. Durante una fracción de segundo, dos hebras de filamento conductor entraron en contacto y enviaron su energía eléctrica a una de las luces de túnel. Cuatrocientos vatios de luz blanca arremetieron contra los ojos carmesí del trol y le produjeron unas fulgurantes descargas de agonía en el cerebro.

—Je, je —murmuró Holly un segundo antes de que el trol empezase a sufrir convulsiones involuntarias. Los espasmos hicieron que la elfa cayese rodando por el suelo de parquet, con la pierna temblequeando tras ella.

La pared se aproximaba a una velocidad alarmante. «Tal vez —pensó Holly esperanzada— este sea uno de esos impactos en los que no sientes el dolor hasta más tarde. No —respondió su lado pesimista—, me parece que no.» Se dio contra un tapiz de temática normanda y el golpe hizo que este le cayera en la cabeza. El dolor fue inmediato e insoportable.

—¡Ay! —exclamó Potrillo—. Lo he notado. El contacto visual ha quedado destrozado. Los sensores de dolor se han disparado al máximo. Tienes los pulmones hechos polvo, capitana. Vamos a perderte durante un rato, pero no te preocupes, Holly, tu magia debería empezar a curarte enseguida.

Holly sintió cómo el cosquilleo azul de la magia afluía a sus diversas heridas. Gracias a los dioses por las bellotas, pero era un pelín tarde. Ya había sobrepasado con creces el umbral del dolor. Justo antes de quedarse inconsciente, la mano de Holly asomó por debajo del tapiz y aterrizó en el brazo de Mayordomo, sobre su piel desnuda. Milagrosamente, el humano no estaba muerto. Un pulso obstinado bombeaba la sangre a través de sus miembros destrozados.

«Cúrate», pensó Holly. Y la magia empezó a deslizarse por sus dedos.

El trol tenía un dilema: cuál de las dos mujeres comerse primero. Tenía que elegir, tenía que elegir... Para tomar una decisión, no le ayudaba en nada la persistente agonía que le zumbaba alrededor de la cabeza peluda, ni la maraña de balas alojadas en el tejido graso de su pecho. Al final se inclinó por la habitante de la superficie. Carne humana blandita. No quería tener que masticar músculos densos de duende.

La bestia se agachó y ladeó la barbilla de la muchacha con una garra amarillenta. Una yugular palpitante le recorría perezosamente la longitud del cuello. ¿El corazón o el cuello?, se preguntó el trol. El cuello, estaba más cerca. Colocó la garra de costado para que el borde se apretase contra la suave carne humana. Un golpe certero y los propios latidos del corazón de la chica harían que se desangrase.

Mayordomo se despertó, cosa que era toda una sorpresa en sí misma. Supo de inmediato que estaba vivo por el dolor punzante que inundaba cada centímetro cúbico de su cuerpo. Aquello no era buena señal. Puede que estuviese vivo, pero teniendo en cuenta que el cuello le había dado un giro de ciento ochenta grados, nunca volvería a pasear a su perro de nuevo, por no hablar de la posibilidad de rescatar a su hermana.

Mayordomo torció los dedos. El dolor era atroz, pero por lo menos podía moverlos. Era asombroso que todavía conservase alguna función motora, teniendo en cuenta el traumatismo que había sufrido su columna vertebral. Los dedos de los pies también parecían estar bien, pero puede que aquello fuese una reacción meramente psicológica, puesto que el hecho era que no podía verlos.

La hemorragia de la herida del pecho parecía haberse detenido y podía pensar con claridad. En general, había salido mucho mejor parado de lo que merecía. ¿Qué narices estaba pasando allí?

De repente, algo le llamó la atención. Unos chispazos azules danzaban alrededor del torso. Debía de estar teniendo alucinaciones, creando imágenes agradables para no pensar en lo inevitable. Una alucinación muy realista, la verdad sea dicha.

Las chispas se concentraron en los puntos traumáticos y se hundieron en la carne. Mayordomo sintió un escalofrío. Aquello no era ninguna alucinación. Algo extraordinario estaba sucediendo allí, algo mágico.

¿Magia? Esa palabra encendió una lucecita en su cerebro recién recuperado: la magia de los duendes. Algo estaba curándole las heridas. Torció la cabeza e hizo una mueca de dolor ante la cantidad de vértebras magulladas. Había una mano apoyada en su antebrazo. Las chispas fluían de los dedos esbeltos de la elfa y se dirigían intuitivamente hacia las heridas, los huesos rotos o las magulladuras. Había muchísimas heridas por sanar, pero las chispitas se ocupaban de todas ellas con premura y eficacia. Como un ejército de castores diligentes reparando los daños de una tormenta.

Mayordomo notaba, de hecho, cómo se unía el tejido de sus huesos y el fluir de la sangre de las costras semicoaguladas. Su cabeza se movió involuntariamente cuando cada una de sus vértebras recuperó su lugar y recobró toda su fuerza en cuanto la magia reprodujo los tres litros de sangre que había perdido por la herida del pecho.

Mayordomo se levantó de un salto, literalmente. Era él otra vez. No. Era algo más que eso: era más fuerte que nunca, lo bastante como para darle una nueva paliza a la bestia que estaba agachada junto a su hermana pequeña.

Sintió cómo su rejuvenecido corazón se aceleraba como el ruido de un motor fueraborda. «Tranquilo —se dijo Mayordomo—. La pasión es la enemiga de la eficiencia.» Pero tranquilo o no, la situación era desesperada. Aquella bestia ya lo había matado una vez, y en esta ocasión ni siquiera llevaba la Sig Sauer encima. Dejando aparte sus habilidades, no estaría mal contar con un arma. Algo consistente. De repente, su bota tropezó con un objeto metálico. Mayordomo bajó la mirada para ver los escombros que el trol había dejado a su paso... Perfecto.

En la pantalla sólo se veía nieve.

—¡Vamos! —gritó Remo—. ¡Date prisa!

Potrillo se abrió paso a codazos por delante de su superior.

—A lo mejor si no se empeñase en obstaculizarme el paso a los tableros del circuito...

Remo se quitó de en medio a regañadientes. En su opinión, era culpa de los tableros del circuito, por estar detrás de él. La cabeza del centauro desapareció en un panel de acceso.

—¿Ve algo?

—Nada. Sólo interferencias.

Remo le dio un golpe a la pantalla. No había sido una buena idea. En primer lugar, porque no había una posibilidad entre un millón de que aquello pudiese servir de ayuda, y en segundo lugar, porque las pantallas de plasma se calientan muchísimo después de un uso prolongado.

—*D'Arvit!*

—Y no toque la pantalla, por cierto.

—Ah, muy gracioso. Es el momento más apropiado para gastar bromas, ¿no te parece?

—La verdad es que no. ¿Y ahora?

La nieve empezó a adquirir formas reconocibles.

—Eso es, déjalo ahí. Tenemos una señal.

—He activado la cámara secundaria. Simples imágenes de vídeo, me temo, pero tendrán que servir.

Remo no hizo ningún comentario. Estaba observando la pantalla. Tenía que ser una película. Aquello no podía ser la vida real.

—Bueno, ¿y qué está pasando ahí? ¿Algo interesante?

Remo intentó responder, pero su vocabulario de soldado no encontraba palabras para describir la escena.

—¿Qué? ¿Qué pasa?

El comandante lo intentó.

—Es... el humano... Nunca había visto... Ah, olvídalo Potrillo. Tendrás que ver esto tú mismo.

Holly vio toda la escena a través de un agujero de los pliegues del tapiz. Si no la hubiera visto con sus propios ojos, no se la habría creído. De hecho, no fue hasta que revisó la cinta para elaborar su informe cuando estuvo segura de que toda la escena no había sido una alucinación producto de su experiencia a las puertas de la muerte. En realidad, la secuencia de vídeo se convirtió en una especie de leyenda que al principio apareció en los programas de televisión de vídeos caseros y que luego acabó formando parte de la asignatura de lucha cuerpo a cuerpo de la Academia de la PES.

El humano, Mayordomo, llevaba puesta una armadura medieval. Por increíble que parezca, estaba intentando ponerse a la altura del trol. Holly trató de advertirle, de hacer algún ruido, pero la magia no le había curado todavía sus maltrechos pulmones.

Mayordomo cerró su visera y enarboló una maza feroz.

—Y ahora —masculló a través de la rejilla—, te voy a enseñar lo que ocurre cuando alguien le pone las manos encima a mi hermana.

El humano hizo girar la maza como si fuera el bastón de una *majorette* y la clavó entre los omoplatos del trol. Un golpe así, si bien no podía ser mortal, sí distrajo al trol de su deseada víctima.

Mayordomo plantó el pie justo encima de la grupa de la criatura y liberó el arma de un tirón, que se soltó del cuerpo de la bestia con un ruido espeluznante. Se retiró hacia atrás y adoptó una posición defensiva.

El trol se volvió contra él y extendió por completo sus diez garras amarillentas. Unas gotas de veneno brillaban en las puntas de cada colmillo. Se habían acabado los juegos, pero esta vez no habría ataque relámpago. La bestia se movía con cautela, pues había resultado herida. Trataría a aquel último atacante con el mismo respeto con el que trataría a otro macho de la especie. Para el trol, estaba invadiendo su territorio, y sólo había una forma de solucionar una disputa de aquella naturaleza. De la misma forma en que los troles solucionaban todas sus disputas...

—Debo advertirte —empezó a decir Mayordomo con gravedad— que voy armado, y estoy preparado para emplear la fuerza mortífera si es necesario.

Holly habría lanzado un gemido de haber podido. Qué situación más absurda... ¡El humano estaba intentando retar al trol a un duelo de machos! Entonces la capitana Canija se percató de su error. Las palabras no eran importantes, era el tono que estaba empleando. Tranquilo, relajante... Como un entrenador con un unicornio asustado.

—Apártate de la hembra. Con cuidado.

El trol infló sus mejillas y dio un aullido. Tácticas para asustarlo. Estaba tanteando el terreno. Pero Mayordomo no se arredró.

—Sí, sí. Uy, qué miedo... Y ahora, apártate de la puerta y no te haré pedazos.

El trol dio un resoplido, molesto por aquella reacción. Por lo general, sus rugidos hacían que cualquier criatura que tuviese delante saliese huyendo despavorida por el túnel.

—Un pasito cada vez, de uno en uno. Despacio. Cuidado ahí, grandullón.

Casi asomaba a los ojos del trol una chispa de incertidumbre. A lo mejor aquel humano era...

Y fue entonces cuando Mayordomo atacó. Se puso a bailar bajo los colmillos y le asestó un gancho devastador con el arma medieval. El trol se tambaleó hacia atrás y empezó a sacudir las garras violentamente, pero era demasiado tarde: Mayordomo ya estaba fuera de su alcance, pues había salido disparado hacia el otro lado del pasillo.

El trol fue tras él avanzando con pasos pesados y escupiendo dientes rotos de unas encías hechas papilla. Mayordomo se puso de rodillas y empezó a deslizarse por el suelo pulido como un patinador, volviéndose de vez en cuando. Se agachó y dio una voltereta para colocarse frente a su adversario.

—Adivina lo que he encontrado —dijo, blandiendo la Sig Sauer.

No hubo disparos al pecho esta vez. Mayordomo vació el resto del cargador de la automática en un diámetro de diez centímetros entre los ojos del trol. Por desgracia para Mayordomo, debido a milenios de lucha embistiéndose unos a otros, los troles habían desarrollado una gruesa capa de hueso que les cubría las cejas, de modo que la descarga no logró penetrar en el cráneo, a pesar del plomo revestido con teflón.

Sin embargo, no hay criatura en el planeta capaz de ser inmune a diez proyectiles Devastator, y el trol no era ninguna excepción. Las balas le taladraron un tatuaje en forma de mazo en el cráneo y le provocaron una conmoción cerebral instantánea. El animal se tambaleó hacia atrás golpeándose la frente con las garras. Mayordomo se colocó detrás de él de inmediato y le clavó las púas de la maza en uno de sus pies peludos.

El trol sufría una conmoción cerebral y se había quedado ciego y cojo. Una persona normal habría sentido una pizca de remordimiento, pero no Mayordomo: había visto demasiados hombres despedazados por animales heridos. Ahora venía la parte más peligrosa. No era el momento de sentir lástima, era el momento de poner fin a una amenaza extrema.

Holly sólo pudo limitarse a observar impotente cómo el humano apuntaba con cuidado y asestaba una serie de golpes atroces a la criatura enferma. Primero la emprendió con los tendones, cosa que hizo que el trol cayera de rodillas, luego dejó la maza y se puso manos a la obra con las manos enfundadas en los guantes, un arma incluso más mortífera que la maza. El desdichado trol trató de devolver los golpes de forma patética, llegando a conseguir darle a su objetivo de refilón, aunque ninguno logró atravesar la vieja armadura. Mientras tanto, Mayordomo dirigía su operación de aniquilamiento con la precisión de un cirujano. Dando por supuesto que la estructura física de los troles y los humanos era básicamente la misma, descargó golpe tras golpe sobre la estúpida criatura hasta reducirla a un montón de pellejos temblorosos en apenas unos segundos. El espectáculo era lastimoso. Pero el criado no había terminado todavía. Se quitó los guantes ensangrentados y colocó un nuevo cargador en la pistola.

—Vamos a ver cuánto hueso te queda bajo la barbilla.

—No —intervino Holly con el primer hálito de su cuerpo, respirando con dificultad—. No lo hagas.

Mayordomo hizo caso omiso de sus palabras y colocó el cañón del arma bajo la mandíbula del trol.

—No lo hagas... Me lo debes.

Mayordomo se detuvo. Juliet estaba viva, eso era cierto. Muy confusa, desde luego, pero viva al fin y al cabo. Acarició el percutor de su pistola. Cada neurona de su cerebro le pedía a gritos que apretase el gatillo, pero Juliet estaba viva.

—Me lo debes, humano.

Mayordomo lanzó un suspiro. Se arrepentiría de aquello.

—Está bien, capitana. La bestia vivirá para pelear un nuevo día. Por suerte para él, estoy de buen humor. —Holly hizo un ruido, algo entre un quejido y una risa—. Ahora vamos a deshacernos de nuestro amigo peludo.

Mayordomo llevó al trol inconsciente hasta una vagoneta blindada y la arrastró hasta la entrada en ruinas. Con un gran esfuerzo, vertió el contenido de la vagoneta en la noche suspendida en el tiempo.

—Y no vuelvas —le gritó.

—Increíble —exclamó Remo.

—Y que lo diga —convino Potrillo.

CAPÍTULO IX: LA MEJOR BAZA

 ARTEMIS trató de hacer girar el pomo de la puerta y se quemó la palma de la mano al intentarlo. Estaba sellada. La duendecilla debía de haberla cerrado con su arma. Muy astuta. Una variable menos en la ecuación. Era exactamente lo mismo que habría hecho él.

Artemis no malgastó el tiempo intentando forzar la puerta para abrirla: era de acero reforzado y él sólo tenía doce años. No había que ser ningún genio para adivinar cuál sería el resultado de que lo intentase —y eso que él lo era—, de modo que el heredero Fowl decidió dirigirse a la pared de los monitores y seguir el desarrollo de los acontecimientos desde allí.

Supo de inmediato qué era lo que pretendía la PES: enviar a un trol al interior de la mansión para asegurarse de que les pedirían ayuda, interpretar esa petición como una invitación y, acto seguido, una brigada de soldados de las tropas de asalto formada por goblins tomaría la mansión. Una maniobra muy inteligente. E imprevisible. Era la segunda vez que subestimaba a sus oponentes. Estaba claro que no habría una tercera.

Mientras la melodramática escena del vestíbulo se desarrollaba en los monitores, las emociones de Artemis pasaron del terror más absoluto al orgullo puro. Mayordomo lo había conseguido, había derrotado al trol, y sin que un solo grito de auxilio saliera de sus labios. Al ver aquel espectáculo, Artemis valoró plenamente, acaso por vez primera, los servicios prestados por la familia Mayordomo.

Artemis activó la radio de tres frecuencias y retransmitió sus palabras en frecuencias giratorias.

—Comandante Remo, estará usted controlando todos los canales, supongo...

Durante varios minutos, no se oyó más que ruido blanco por los altavoces del micro; luego, Artemis oyó el chasquido del botón de un micrófono.

—Te escucho, humano. ¿En qué puedo ayudarte?

—¿Es usted el comandante?

Un ruido agudo se filtró por la malla negra. Parecía un relincho.

—No, no soy el comandante. Soy Potrillo, el centauro. ¿Eres el despreciable secuestrador de duendes?

Artemis tardó unos segundos en procesar el hecho de que le acababan de insultar.

—Señor... Hum... Potrillo. Obviamente, no está familiarizado con los manuales de psicología. No es aconsejable hacer enfadar al secuestrador. Yo podría ser un desequilibrado.

—¿Podría ser un desequilibrado? Sobra el condicional, amigo, pero da lo mismo, muy pronto no serás más que una nube de moléculas radiactivas.

Artemis se echó a reír.

—Ahí es donde te equivocas, amigo cuadrúpedo. Para cuando hagáis detonar esa biobomba, yo ya me habré largado de la parada de tiempo.

Le tocaba el turno de reír a Potrillo.

—Menudo farol. Si hubiese una manera de escapar del campo temporal, yo la habría encontrado. Estás hablando como un...

Por fortuna, fue en ese momento cuando Remo decidió relevarle en el micrófono.

—¿Fowl? Soy el comandante Remo. ¿Qué quieres?

—Sólo quiero informarle, comandante, de que a pesar de su intento de traición, sigo queriendo negociar.

—Yo no he tenido nada que ver con lo del trol —protestó Remo—. Lo han enviado en contra de mi voluntad.

—El hecho es que lo han enviado, y ha sido la PES, de eso no hay duda. Ya no confío en absoluto en ustedes, de modo que ahí va mi ultimátum. Disponen de treinta minutos para enviar el oro; si no lo hacen, me negaré a liberar a la capitana Canija. Además, no me la llevaré conmigo cuando abandone el campo temporal y dejaré que la biobomba la desintegre.

—No seas ingenuo, humano. Te estás engañando. La tecnología fangosa está a años luz de la nuestra. No hay forma, ni humana ni de ninguna clase, de escapar al campo temporal.

Artemis se acercó al micrófono y esbozó su sonrisa de rapaz.

—Sólo hay una manera de averiguarlo, Remo. ¿Está dispuesto a arriesgar la vida de la capitana Canija por una corazonada?

La vacilación de Remo se vio subrayada por el silbido de las interferencias. Su respuesta, cuando llegó al fin, estaba teñida por el tono de la derrota.

—No —suspiró—, no lo estoy. Tendrás tu oro, Fowl. Una tonelada. Veinticuatro quilates.

Artemis sonrió con aire de suficiencia. Un actor de tomo y lomo, nuestro comandante Remo.

–Treinta minutos, comandante. Cuente los segundos si su reloj se ha parado. Esperaré, pero no demasiado.

Artemis interrumpió la conexión y se arrellanó en la silla giratoria. Al parecer, habían mordido el anzuelo. Era evidente que los analistas de la PES habían descubierto su invitación «accidental». Los duendes pagarían el rescate porque creerían que recuperarían el oro en cuanto estuviese muerto. Aniquilado por los efectos de la biobomba, lo cual, por supuesto, no iba a ocurrir. En teoría.

Mayordomo descargó tres ráfagas de disparos en el marco de la puerta. La puerta en sí era de acero y habría hecho rebotar los proyectiles Devastator directamente sobre él; sin embargo, el marco de la puerta era de la piedra porosa original que se había utilizado para construir la mansión. Se deshizo como si fuera yeso. Un fallo de seguridad muy grave, algo que habría que remediar en cuanto terminase todo aquel asunto. El amo Artemis estaba esperando tranquilamente en su silla junto a la mesa de los monitores.

–Buen trabajo, Mayordomo.

–Gracias, Artemis. Pasamos unos momentos de verdadero peligro ahí abajo. De no haber sido por la capitana...

Artemis asintió con la cabeza.

–Sí, ya lo he visto. La curación, uno de los dones de los seres mágicos. Me pregunto por qué lo hizo.

–Yo también me lo pregunto –añadió Mayordomo en voz baja–. Desde luego, no nos lo merecíamos.

Artemis levantó la vista con brusquedad.

–Ten fe, viejo amigo. El final está muy cerca.

Mayordomo asintió e incluso intentó sonreír, pero aunque se vieron muchos dientes en aquella sonrisa, no había ni rastro de alegría.

–En menos de una hora, la capitana Canija estará de vuelta con su gente y tendremos financiación suficiente para retomar algunos asuntos más jugosos.

–Ya lo sé, pero es que...

A Artemis no le hizo falta pedirle que acabara la frase. Sabía perfectamente cómo se sentía Mayordomo. La elfa les había salvado la vida a ambos y a pesar de ello él insistía en retenerla para conseguir un rescate. Para un hombre de honor como Mayordomo, aquello era más de lo que podía soportar.

–Las negociaciones se han acabado. De una forma u otra, volverá con los de su raza. No le pasará nada malo a la capitana Canija. Tienes mi palabra.

–¿Y Juliet?

–¿Qué pasa con Juliet?

–¿Corre mi hermana algún peligro?

–No, ningún peligro.

–¿Los duendes nos van a dar ese oro y se van a ir así, sin más?

Artemis dio un suave resoplido.

–No, no exactamente. Van a arrojar una biobomba sobre la mansión Fowl en cuanto liberemos a la capitana Canija.

Mayordomo tomó aire para hablar, pero lo pensó mejor. Evidentemente, el plan contenía más detalles. El amo Fowl se los contaría cuando necesitase conocerlos, así que en lugar de interrogar a su jefe, dijo una frase muy sencilla.

–Confío en ti, Artemis.

—Sí —contestó el chico, con el peso de aquella confianza depositado en su ceja—. Ya lo sé.

Cudgeon estaba haciendo lo que a los políticos se les da mejor: intentando eludir sus responsabilidades.

—Tu agente ha ayudado a los humanos —soltó, mostrando la máxima indignación posible—. Toda la operación estaba saliendo según lo previsto hasta que tu elfa atacó a nuestro ayudante.

—¿Ayudante? —repitió Remo con una carcajada—. Ahora el trol es un ayudante.

—Sí, lo es. Y ese humano lo ha hecho picadillo. Todo este embrollo podría haberse solucionado ya si no fuera por la incompetencia de tu departamento.

En otras circunstancias, Remo se habría puesto hecho una fiera llegados a este punto, pero sabía que Cudgeon se estaba agarrando a un clavo ardiendo, tratando desesperadamente de salvar su carrera, así que el comandante se limitó a sonreír.

—Eh, Potrillo.

—¿Sí, comandante?

—¿Tenemos el asalto del trol grabado en disco?

El centauro lanzó un dramático suspiro.

—No, señor, nos quedamos sin discos justo antes de que entrara el trol.

—Qué pena.

—Una verdadera lástima.

—Esos discos podrían haberle sido muy valiosos al comandante en jefe Cudgeon en su consejo de guerra.

Cudgeon perdió los nervios.

—¡Dame esos discos, Julius! ¡Sé que están ahí! Esto es una obstrucción flagrante.

–Tú eres el único culpable de obstrucción en este asunto, Cudgeon. Has utilizado todo esto para medrar en tu carrera.

La cara de Cudgeon adquirió un tono similar al del rostro de Remo. La situación se le estaba yendo de las manos y él lo sabía. Hasta Chix Verbil y los demás duendecillos empezaron a alejarse sigilosamente de las proximidades de su jefe.

–Todavía estoy al mando, Julius, así que dame esos discos o haré que te detengan.

–¿Ah, de verdad? ¿Tú y quién más?

Durante un segundo, el rostro de Cudgeon brilló con la pomposidad de antaño, pero esta se evaporó en cuanto advirtió la ausencia manifiesta de agentes a sus espaldas.

–Es verdad –se burló Potrillo–. Ya no eres el comandante en jefe. La orden viene directamente desde abajo. Los del Consejo quieren verte, y no creo que sea para ofrecerte un asiento.

Seguramente fue la sonrisa de Potrillo lo que agotó la paciencia de Cudgeon.

–¡Dame esos discos! –rugió al tiempo que inmovilizaba a Potrillo contra la pared de la lanzadera.

Remo sintió la tentación de dejar que se pelearan durante un rato, pero no era el momento de ceder a sus antojos.

–Has sido muy malo –dijo, amenazando a Cudgeon con el dedo índice–. Sólo yo puedo pegar a Potrillo.

El centauro palideció de golpe.

–Cuidado con ese dedo, comandante; todavía lleva el...

El pulgar de Remo rozó el nudillo «accidentalmente» y abrió una minúscula válvula de gas. El gas liberado expulsó un dardo tranquilizante por la punta de látex y lo lanzó directamente al cuello de Cudgeon. El comandante en jefe

—que pronto iba a dejar de serlo— se hundió en el suelo como una piedra en el agua.

Potrillo se frotó el cuello.

—Buen disparo, comandante.

—No sé de qué me hablas. Ha sido un accidente, en serio. Me he olvidado de que llevaba el dedo de pega. Existen precedentes, creo.

—Ah, sí, claro. Por desgracia, Cudgeon permanecerá inconsciente varias horas. Para cuando se despierte todo el espectáculo habrá terminado.

—Qué pena. —Remo se dio el capricho de una sonrisa fugaz y luego volvió a concentrarse en los asuntos importantes—. ¿Está aquí el oro?

—Sí, lo acaban de enviar.

—Bien. —Llamó a los avergonzados soldados de Cudgeon—. Cargadlo en una aerovagoneta y enviadlo dentro de la casa. Como haya algún contratiempo os comeréis las alas.

Nadie respondió con palabras, pero habían entendido el mensaje, sin ninguna duda.

—Bien, y ahora, adelante.

Remo desapareció en la lanzadera de la operación y Potrillo se fue trotando tras él. El comandante cerró la puerta con firmeza.

—¿Está cargada?

El centauro activó varios interruptores de aspecto importante en la consola principal.

—Ahora sí.

—Quiero que la lancen lo antes posible. —Miró a través del cristal refractor a prueba de láser—. Sólo nos quedan unos pocos minutos. Estoy viendo asomar la luz del sol.

Potrillo aporreó el teclado con furia.

—La magia está desapareciendo. Dentro de quince minutos estaremos en pleno día de la superficie. Las corrientes de neutrino están perdiendo intensidad.

—Ya lo veo —dijo Remo, lo cual, en realidad, era mentira—. Bueno, vale, no lo veo, pero he entendido lo de los quince minutos. Eso te da diez minutos para sacar a la capitana Canija de ahí. Después seremos presas fáciles para toda la raza humana.

Potrillo activó una nueva cámara, conectada a la aerovagoneta. Pasó el dedo por una línea para tantear el terreno. La vagoneta avanzó hacia delante y por poco decapita a Chix Verbil.

—Buena maniobra —musitó Remo—. ¿Subirá los escalones?

Potrillo ni siquiera levantó la vista de sus ordenadores.

—Dispone de un compensador de despeje automático, con un cuello de uno coma cinco metros. Ningún problema.

Remo lo fulminó con la mirada.

—Haces eso sólo para fastidiarme, ¿verdad?

Potrillo se encogió de hombros.

—Puede.

—Sí, pues tienes suerte de que el resto de mis dedos no estén cargados, ¿me comprendes?

—Sí, señor.

—Bien. Y ahora, traigamos a la capitana Canija de vuelta a casa.

Holly se sostuvo en el aire por debajo del pórtico. Unos haces anaranjados de luz rasgaban el color azul. La parada de tiempo estaba tocando a su fin. Sólo quedaban unos minutos para que Remo hiciese un lavado azul de todo el lugar. De repente, la voz de Potrillo empezó a zumbar en sus auriculares.

–Muy bien, capitana Canija. El oro va de camino. Lista para moverte.

–No negociamos con los secuestradores –dijo Holly, sorprendida–. ¿Qué está pasando aquí?

–Nada –contestó Potrillo con toda naturalidad–. Un simple intercambio, eso es todo. El oro entra y tú sales. Lanzamos el misil, se produce una enorme explosión de color azul y ya está.

–¿Sabe Fowl lo de la biobomba?

–Sí. Lo sabe todo, pero dice que puede escaparse del campo temporal.

–Eso es imposible.

–Correcto.

–Pero ¡morirán todos!

–Una lástima –repuso Potrillo, y Holly casi se lo imaginó encogiéndose de hombros–. Eso es lo que pasa cuando te metes con las Criaturas.

Holly estaba en un dilema. No había ninguna duda de que Fowl era un peligro para la civilización del subsuelo, muy pocas lágrimas iban a derramarse por su muerte; pero la chica, Juliet, era una víctima inocente. Merecía una oportunidad.

Holly descendió a una altitud de dos metros, a la altura de la cabeza de Mayordomo. Los humanos se habían congregado en los escombros que antes formaban el vestíbulo. Había discrepancias entre ellos, la agente de la PES las percibía con claridad.

Holly lanzó a Artemis una mirada acusadora.

—¿Se lo has dicho a ellos?

Artemis le devolvió la mirada.

—¿Decirles qué?

—Sí, elfa, ¿decirnos qué? —repitió Juliet con aire beligerante, todavía un poco molesta por el *encanta*.

—No te hagas el tonto, Fowl. Sabes a lo que me refiero.

Artemis nunca podía hacerse el tonto durante demasiado rato.

—Sí, capitana Canija, lo sé. La biobomba. Tu preocupación sería muy conmovedora, si se extendiese a mi persona. Sin embargo, no tienes razones para preocuparte: todo está saliendo según el plan.

—¡Según el plan! —exclamó Holly dando un grito ahogado y señalando las ruinas que los rodeaban—. ¿Esto también formaba parte del plan? Y lo de que Mayordomo haya estado a punto de morir... ¿también formaba parte del plan?

—No —admitió Artemis—. Lo del trol ha sido un ligero contratiempo, pero irrelevante para el plan general.

Holly resistió la tentación de pegarle otro puñetazo al humano y decidió dirigirse al sirviente.

—Atiende a razones, por lo que más quieras. Nadie puede escapar del campo temporal. Nunca se ha hecho.

Las facciones del rostro de Mayordomo parecían las de una estatua de piedra.

—Si Artemis dice que puede hacerse, es que puede hacerse.

—Pero ¿y tu hermana? ¿Estás dispuesto a arriesgar su vida por tu lealtad a un villano?

—Artemis no es ningún villano, señorita, es un genio. Y ahora, por favor, apártese de en medio. Estoy vigilando la entrada principal.

Holly subió hasta seis metros de altura.

–Estáis locos. ¡Todos vosotros! Dentro de cinco minutos no seréis más que cenizas. ¿Es que no os dais cuenta?

Artemis suspiró.

–Ya te hemos respondido, capitana. Y ahora, por favor... Esta es una parte delicada del juego.

–¿Juego? ¡Es un secuestro! Ten al menos las agallas de llamarlo por su nombre.

Artemis empezaba a perder la paciencia.

–Mayordomo, ¿nos quedan agujas hipodérmicas tranquilizantes?

El criado gigante asintió con la cabeza, pero no dijo nada. En ese preciso instante, si hubiese recibido la orden de sedar a la capitana, no habría sabido qué hacer. Por suerte, la actividad de la arboleda distrajo la atención de Artemis.

–Ah, parece que la PES ha decidido rendirse. Mayordomo, supervisa la entrega, pero mantente alerta: a nuestros amigos los duendes les gustan mucho las triquiñuelas.

–Mira quién fue a hablar... –murmuró Holly.

Mayordomo se acercó con rapidez hasta la puerta destrozada, comprobando el cargador y el estado de su Sig Sauer de nueve milímetros. Casi se sintió aliviado por que la misión lo distrajese de su dilema. En situaciones como aquella, su entrenamiento era lo más importante. No había sitio para los sentimientos.

En el aire todavía había suspendida una fina capa de polvo. Mayordomo entrecerró los ojos para pasar a través de ella hacia la arboleda del exterior. Los filtros mágicos con los que sus ojos iban equipados revelaron que no había cuerpos vivos aproximándose. Sin embargo, sí se acercaba una enorme vagoneta que parecía conducirse sola en dirección a la puerta principal. Iba flotando sobre un colchón de aire brillante. Sin duda, el amo Artemis habría entendido las leyes físicas que regían el funcionamiento de aquella máquina, pero a Mayordomo lo único que le importaba era si podría o no desmontarla.

La vagoneta se tropezó con el primer escalón.

—Conque compensador automático, ¿eh? ¡Y un jamón! —exclamó Remo.

—Sí, sí, ya lo sé —repuso Potrillo—. Estoy tratando de solucionarlo.

—¡Es el rescate! —gritó Mayordomo.

Artemis intentó reprimir el entusiasmo que le subía por el pecho. No era el momento de dejar que las emociones entraran en la ecuación.

—Comprueba que no haya trampas.

Mayordomo salió con cuidado al porche. Unos restos de gárgolas deshechas yacían desparramadas a su alrededor.

—No hay elementos hostiles. Parece una máquina autopropulsada.

La vagoneta subió los escalones dando bandazos.

—No sé quién conduce este trasto, pero podría ir a una autoescuela.

Mayordomo se agachó en el suelo y examinó la parte inferior de la vagoneta.

—No hay explosivos visibles.

Extrajo un cepillo mecánico del bolsillo y extendió la antena telescópica.

—Tampoco hay micrófonos de ninguna clase. No detecto nada de nada. Un momento..., ¿qué tenemos aquí?

—Uy, uy, uy... —exclamó Potrillo.

—Es una cámara.

Mayordomo metió la mano por debajo de la vagoneta y tiró del cable del objetivo de ojo de pez para sacarlo.

—Buenas noches, caballeros.

A pesar de la carga que transportaba, la vagoneta respondió con facilidad al tacto de Mayordomo y se deslizó a través del umbral hasta el interior del vestíbulo. Se quedó allí parada emitiendo un leve zumbido, como esperando a que la descargasen.

Ahora que por fin había llegado el momento, Artemis casi tenía miedo de aprovecharlo. Resultaba difícil creer que después de todos aquellos meses, su malvado plan estaba a punto de dar sus frutos. Por supuesto, aquellos minutos finales eran los minutos vitales, y también los más peligrosos.

—Ábrela —dijo al fin, sorprendido por el temblor de su propia voz.

Era un instante irresistible. Juliet se acercó con paso vacilante y los ojos abiertos como platos. Incluso Holly quitó la mano del acelerador y descendió hasta que sus piececillos rozaron las baldosas de mármol. Mayordomo abrió la cremallera de la lona negra y la deslizó por encima del cargamento.

Nadie dijo una sola palabra. Artemis creyó oír la Obertura 1812 procedente de alguna parte. El oro estaba allí, apilado en lingotes relucientes. Parecía tener un aura a su alrededor, contener una calidez insólita, pero también un peligro inherente. Había muchísima gente dispuesta a matar o a morir por la incalculable riqueza que aquel oro podía significar.

Holly estaba como hipnotizada. Los duendes sienten predilección por los minerales, siendo como son elementos de la tierra, pero el oro era su favorito. Su brillo, su atractivo...

—Han pagado —dijo sin aliento—. No puedo creerlo.

—Yo tampoco —murmuró Artemis—. Mayordomo, ¿es de verdad?

Mayordomo cogió un lingote de la pila. Clavó la punta de una navaja en la superficie y abrió una pequeña raja.

—Sí, es de verdad —confirmó, colocando la raja al trasluz—. Este por lo menos.

—Bien, muy bien. Empieza a descargarlo, ¿quieres? Les mandaremos la vagoneta de vuelta con la capitana Canija.

Al oír su nombre, Holly se despertó de su estado de hipnosis.

—Artemis, ríndete. Ningún humano ha conseguido nunca quedarse con el oro de las criaturas mágicas, y llevan siglos intentándolo. La PES hará cualquier cosa para proteger sus bienes.

Artemis meneó la cabeza con aire divertido.

—Ya te he dicho...

Holly lo zarandeó por los hombros.

—¡No puedes escapar! ¿Es que no lo entiendes?

El chico le devolvió la mirada con toda tranquilidad.

—Sí puedo escapar, Holly. Mírame a los ojos y dime que no puedo.

Así lo hizo. La capitana Holly Canija miró a los ojos azul oscuro de su captor y vio la verdad en ellos. Y, por un momento, le creyó.

—Todavía hay tiempo —dijo con desesperación—. Tiene que haber algo... Tengo poderes mágicos.

Un gesto de enfado ensombreció el rostro del chico.

—Lamento decepcionarte, capitana, pero no hay absolutamente nada que puedas hacer.

Artemis dejó de hablar un momento y su mirada se perdió unos segundos en el piso de arriba, en el desván reformado. «Tal vez —pensó—. ¿De verdad necesito todo este oro?» Y era la voz de su conciencia la que le hablaba, la que le amargaba la dulzura de su victoria. Sacudió la cabeza de repente. «Cíñete al plan, cíñete al plan. Nada de emociones.»

Artemis notó el tacto de una mano familiar en su hombro.

—¿Todo va bien?

—Sí, Mayordomo. Sigue descargando. Que te ayude Juliet. Necesito hablar con la capitana Canija.

—¿Estás seguro de que todo va bien?

Artemis lanzó un suspiro.

—No, viejo amigo. No estoy seguro, pero ahora es demasiado tarde.

Mayordomo asintió y regresó a su tarea. Juliet echó a andar tras él como un perrito faldero.

—Y ahora, capitana, con respecto a tu magia...

—¿Qué pasa con ella? —Los ojos de Holly estaban teñidos de desconfianza.

—¿Qué tendría que hacer para comprar un deseo?

Holly miró la vagoneta.

—Bueno, eso depende. ¿Qué tienes para poder negociar?

Remo no estaba lo que se dice relajado. Unas franjas cada vez más amplias de luz amarilla asomaban entre el azul del cielo.

Quedaban minutos. Apenas minutos. Además, las toxinas que el habano estaba introduciendo en su sistema no ayudaban en absoluto a aliviar su migraña.

—¿Ha sido evacuado todo el personal superfluo?

—A menos que hayan vuelto a entrar a escondidas desde la última vez que me lo preguntó.

—Ahora no, Potrillo. Créeme, este no es el momento. ¿Alguna novedad sobre la capitana Canija?

—Nada. Hemos perdido el contacto por vídeo desde lo del trol. Supongo que la batería está rota. Será mejor que le quitemos ese casco enseguida o la radiación le freirá el cerebro. Sería una pena después de todo este esfuerzo.

Potrillo regresó a su consola. Una luz roja empezó a parpadear con suavidad.

—Espere, el sensor de movimiento. Tenemos actividad en la entrada principal.

Remo se acercó a las pantallas.

—¿Puedes ampliar la imagen?

—Eso es pan comido. —Potrillo introdujo las coordenadas y amplió la imagen un cuatrocientos por ciento.

Remo se sentó en la silla más próxima.

—¿Estoy viendo lo que creo que estoy viendo?

—Ya lo creo —respondió Potrillo riendo entre dientes—. Esto es aún mejor que la armadura.

Holly estaba saliendo. Con el oro.

Los de Recuperación llegaron hasta ella en medio segundo.

—Vamos a sacarla fuera de la zona de peligro, capitana —le explicó un duendecillo a toda prisa, agarrándola por un codo.

Otro duende le pasó un sensor de radiaciones por el casco.

—Hay una fuga radiactiva en su casco, capitana. Tenemos que rociarle la cabeza con aerosol inmediatamente.

Holly abrió la boca para protestar y se la llenaron al instante de espuma antirradiación.

—¿No pueden esperar? —farfulló con la boca llena.

—Lo siento, capitana. El tiempo es un factor vital. El comandante quiere un informe antes de que hagamos detonar la bomba.

Llevaron a Holly a la unidad móvil de Operaciones Especiales en volandas, y sus pies apenas rozaban el suelo. A su alrededor, el equipo de limpieza de Recuperación escaneaba el terreno para detectar los rastros del asedio. Los técnicos desmantelaban las parabólicas del campo, preparándolo todo para desconectar el enchufe. Unos gnomos gruñones empujaban la vagoneta hacia el portal. Era vital que todo estuviese a una distancia segura antes de lanzar la biobomba.

Remo la esperaba en los escalones.

—Holly —exclamó—. Quiero decir, capitana, lo has conseguido.

—Sí, señor. Gracias, señor.

—Y has traído el oro, además. Eso se merece una buena pluma en tu gorra.

—Bueno, no todo, comandante. La mitad, creo.

Remo asintió con la cabeza.

—No importa. Recuperaremos el resto muy pronto.

Holly se limpió la espuma antirradiación de la boca.

—He estado pensando en eso, señor. Fowl ha cometido un error: no me ha ordenado que no vuelva a entrar en la casa, y puesto que fue él quien me trajo aquí en primer lugar, la invitación sigue en pie. Podría entrar y hacer una limpieza de memoria a los ocupantes. Podríamos esconder el oro en la muralla y hacer una parada de tiempo mañana por la noche...

—No, capitana.

—Pero señor...

Las facciones del rostro de Remo recuperaron toda la tensión que habían perdido.

—No, capitana. El Consejo no tiene intención de soltar así como así a un Fangoso secuestrador de duendes. Es imposible. Tengo mis órdenes, y créeme, voy a cumplirlas.

Holly siguió a Remo al interior de la unidad móvil.

—Pero la chica, señor. ¡Es inocente!

—Una víctima de guerra. Se puso de parte del bando equivocado y ahora ya no se puede hacer nada por ella.

Holly no podía creerlo.

—¿Una víctima de guerra? ¿Cómo puede decir eso? Una vida es una vida.

Remo se volvió bruscamente y sujetó a Holly por los hombros.

—Has hecho cuanto has podido, Holly —le dijo—. Nadie podría haberlo hecho mejor. Has recuperado incluso la mayor parte del rescate. Sufres lo que los humanos denominan el «síndrome de Estocolmo»: te sientes muy unida a tus secuestradores. No te preocupes, se te pasará. Pero esa gente de ahí dentro lo sabe, saben todo acerca de nosotros. Nada puede salvarlos ahora.

Potrillo levantó la vista de sus cálculos.

—Eso no es del todo cierto, técnicamente. Por cierto, bienvenida.

Holly ni siquiera podía perder un segundo devolviéndole el saludo.

—¿Qué quieres decir con eso de que no es del todo cierto?

—Yo estoy muy bien, gracias por preguntar.

—¡Potrillo! —gritaron Remo y Holly al unísono.

—Bien, pues tal como dice el Libro: «Si el Fangoso logra hacerse con el oro, pese a los intentos de recuperar el tesoro, entonces el botín puede conservar, hasta el día del Juicio Final». Así que si vive, gana. Es así de sencillo. Ni siquiera el Consejo puede ir en contra de lo que dice el Libro.

Remo se rascó la barbilla.

—¿Debo preocuparme?

Potrillo soltó una risa amarga.

—No. Esos tipos están prácticamente muertos.

—«Prácticamente» no me basta.

—¿Es eso una orden?

—Afirmativo, soldado.

—No soy ningún soldado —repuso Potrillo, y apretó el botón.

Mayordomo estaba más que sorprendido.

—¿Se lo has devuelto?

Artemis asintió.

—Casi la mitad, pero todavía tenemos para unos ahorrillos. Unos quince millones de dólares según los precios actuales del mercado.

En otras circunstancias, Mayordomo no habría hecho ninguna pregunta, pero esta vez tenía que hacerla.

—¿Por qué, Artemis? ¿Me lo puedes decir?

—Supongo que sí. —El chico sonrió—. Sentí que estábamos en deuda con la capitana. Por los servicios prestados.

—¿Eso es todo?

Artemis asintió. No hacía ninguna falta contarle lo del deseo. Se vería como un signo de debilidad.

–Hummm –murmuró Mayordomo, que no estaba del todo convencido con la explicación.

–¡Y ahora, vamos a celebrarlo! –exclamó Artemis con entusiasmo, cambiando hábilmente de tema–. Un poco de champán, por ejemplo.

El chico se dirigió a la cocina antes de que la mirada de Mayordomo pudiese diseccionarlo.

Para cuando llegaron los otros dos, Artemis ya había llenado tres copas de Dom Perignon.

–Soy menor de edad, ya lo sé, pero estoy seguro de que a Madre no le importará. Sólo por esta vez.

Mayordomo presintió que el chico estaba tramando algo pero, a pesar de todo, tomó la copa de cristal que le ofrecía.

Juliet miró a su hermano mayor.

–¿Puedo beber?

–Supongo que sí. –Inspiró hondo–. Sabes que te quiero, ¿verdad, hermana?

Juliet frunció el ceño, otro de sus gestos que los gañanes locales encontraban irresistible. Le dio un beso sonoro a su hermano en el hombro.

–Eres muy sentimental para ser un guardaespaldas.

Mayordomo miró a su jefe directamente a los ojos.

–Quieres que nos bebamos esto, ¿verdad, Artemis?

Artemis le sostuvo la mirada.

–Sí, Mayordomo, eso quiero.

Sin añadir una palabra, Mayordomo apuró su copa. Juliet siguió su ejemplo. El criado advirtió el sabor del tranquilizante de inmediato, y a pesar de que habría tenido tiempo de sobra para partirle el cuello a Artemis Fowl, no lo hizo. No tenía por qué entristecer a Juliet en sus últimos momentos de vida.

Artemis vio cómo sus amigos se desplomaban sobre el suelo. Era una lástima tener que engañarlos, pero si les hubiese explicado el plan, su ansiedad podría haber contrarrestado los efectos del sedante. Observó las burbujas que se agitaban en su propia copa. Había llegado la hora de poner en práctica la parte más audaz de su plan. Con una pizca de vacilación, se tragó el champán aderezado con el tranquilizante.

Artemis esperó con serenidad a que la droga se apoderase de su sistema nervioso. No tuvo que esperar demasiado, pues había calculado cada dosis de acuerdo con el peso corporal. Cuando sus ideas se fueron volviendo cada vez más borrosas, se le ocurrió que cabía la posibilidad de que nunca más volviera a despertarse. «Es un poco tarde para tener dudas», se regañó a sí mismo, y perdió el conocimiento.

—Ya ha salido —dijo Potrillo apartándose de la consola—. Ahora ya no está en mis manos.

Siguieron la progresión del misil a través de unas ventanas polarizadas. Se trataba sin duda de una pieza muy notable. Puesto que su arma principal era la luz, la lluvia radiactiva podía concentrarse dentro de un radio exacto. El elemento radiactivo utilizado en el núcleo era el solinium 2, que tenía una vida media de catorce segundos. En la práctica, esto se traducía en que Potrillo podía programar la biobomba de manera que hiciese un lavado azul únicamente de la mansión Fowl y ni de una sola brizna de hierba más. Por otra parte, el edificio quedaría libre de radiaciones en menos de un minuto. En el caso de que determinados rayos de solinium no pudiesen ser centrados, permanecerían en el interior del campo temporal. Un asesinato limpísimo.

—El patrón de vuelo está preprogramado —explicó Potrillo, a pesar de que nadie le estaba escuchando—. Entrará en el vestíbulo y explotará. La cubierta y el mecanismo de fogueo están hechos de aleación de plástico y se desintegrarán por completo. No quedará ni rastro de la bomba.

Remo y Holly siguieron la trayectoria del misil. Tal como estaba previsto, atravesó la entrada en ruinas sin ni siquiera rozar una esquirla de piedra de los muros medievales. Holly centró su atención en la cámara frontal de la bomba. Alcanzó a ver de manera fugaz el majestuoso vestíbulo en el que había sido, hasta apenas unos minutos antes, prisionera. No se veía a ningún humano. Tal vez, pensó, sólo tal vez... Entonces miró a Potrillo y la tecnología que manejaba con las puntas de los dedos, y se dio cuenta de que los humanos estaban prácticamente muertos.

La biobomba hizo explosión. Una esfera azul de luz condensada chisporroteó y se esparció, inundando cada rincón de la mansión con sus rayos mortíferos. Las flores se marchitaron, los insectos se secaron y los peces murieron en las peceras. No se salvó ni un solo milímetro cúbico. Artemis Fowl y sus secuaces no podían haber escapado. Era imposible.

Holly lanzó un suspiro y le dio la espalda al lavado azul, que ya se estaba extinguiendo. Pese a todos sus planes grandilocuentes, Artemis había sido un simple mortal al final. Y por alguna extraña razón, Holly lamentaba su muerte.

Remo se mostró más pragmático.

–Vale. Preparad los equipos de pantalla total.

–No corremos ningún riesgo –dijo Potrillo–. ¿Es que nunca atendía en la escuela?

Remo soltó un resoplido.

–Tengo plena confianza en la ciencia, Potrillo, pero la radiación tiene la mala costumbre de quedarse en el aire cuando algunos «científicos» nos aseguran que se ha disipado por completo. Nadie saldrá de la unidad sin el equipo de pantalla total. Eso te excluye a ti, Potrillo, porque sólo hay trajes para bípedos. Además, te quiero en los monitores sólo por si acaso...

«Por si acaso, ¿qué?», se preguntó Potrillo, pero no hizo ningún comentario. Se reservaría la oportunidad para un «Ya se lo advertí», más adelante.

Remo se dirigió a Holly.

–¿Lista, capitana?

Iba a volver a entrar. La idea de identificar a tres cadáveres no le atraía lo más mínimo, pero sabía que era su deber. Era la única con información de primera mano sobre el interior de la mansión.

–Sí, señor. Preparada.

Holly escogió un traje de pantalla total del estante y se lo puso encima del mono. De modo mecánico, comprobó el indicador antes de tirar de la capucha vulcanizada. Una bajada de la presión indicaría un desgarrón, que podía resultar mortal a largo plazo.

Remo puso en fila al equipo de inspección en el perímetro. Los restos de Recuperación Uno tenían tantas ganas de inspeccionar el interior de la mansión como de hacer juegos malabares con una bomba fétida.

–¿Está seguro de que el grandullón ya no está?

—Sí, capitán Kelp. Ya no está, sea como sea.

Pero Camorra no estaba convencido.

—Porque ese humano es muy malo. Creo que tiene su propia magia.

El cabo Grub se rió por lo bajo y recibió un tortazo inmediatamente por haberse reído. Masculló algo sobre decírselo a mamá y se colocó el casco con rapidez.

Remo sintió cómo se le subía la sangre al rostro.

—En marcha. Vuestra misión consiste en localizar y recuperar los lingotes. Cuidado con las trampas. No confiaba en Fowl cuando estaba vivo y, desde luego, sigo sin confiar en él ahora que está muerto.

La palabra *trampas* captó la atención de todo el mundo. La idea de una mina antipersonal Betty explotando a la altura de la cabeza bastó para acabar con cualquier signo de despreocupación en los soldados. Nadie construía armas tan crueles como las que fabricaban los Fangosos.

Como agente de Reconocimiento junior, Holly iba a la cabeza, y a pesar de que se suponía que no quedaban elementos hostiles en la mansión, se sorprendió echando mano automáticamente de su Neutrino 2000.

En la mansión reinaba un silencio inquietante, y sólo el silbido de los últimos coletazos de solinium interrumpía la quietud. La muerte también estaba allí, en el silencio. La mansión era una cuna de muerte; Holly podía olerla: tras aquellos muros medievales yacían los cuerpos de un millón de insectos, y bajo el suelo, los cadáveres fríos de arañas y roedores.

Se acercaron a la entrada con paso vacilante. Holly realizó un barrido del área con un escáner de rayos X. No había nada bajo las losas más que tierra y un nido de arañas muertas.

—Despejado —dijo al micrófono—. Voy a entrar. Potrillo, ¿llevas puestos los auriculares?

—Estoy aquí contigo, cariño —respondió el centauro—. A menos que pises una mina, en cuyo caso volveré a la Sala de Operaciones Especiales.

—¿Recibes alguna señal térmica?

—No después de un lavado azul. Tenemos restos de calor residual por todas partes. Sobre todo de los rayos de solinium. No se apagarán hasta dentro de un par de días.

—Pero no hay radiación, ¿verdad?

—Verdad.

Remo soltó un bufido de incredulidad. En los auriculares sonó como el estornudo de un elefante.

—Parece que vamos a tener que barrer esta casa de la manera tradicional —dijo soltando un gruñido.

—Que sea rápido —aconsejó Potrillo—. Les doy cinco minutos como máximo antes de que la mansión Fowl regrese al mundo real con todas sus consecuencias.

Holly atravesó lo que había sido la entrada de la casa. La araña de cristal se balanceaba con suavidad por el efecto de la detonación del misil, pero por lo demás, todo estaba tal como lo recordaba.

—El oro está abajo. En mi celda.

Nadie respondió. No con palabras. Alguien tuvo una arcada, justo en el micrófono. Holly giró sobre sus talones. Camorra estaba doblado sobre su estómago, apretándoselo con fuerza.

—No me encuentro bien —gimió; unas palabras un tanto innecesarias, teniendo en cuenta la charca de vómito que le cubría las botas.

El cabo Grub inspiró hondo, seguramente para decir una frase que contuviese la palabra «mamá», pero lo que le salió fue un chorro de bilis concentrada. Por desgracia, Grub no tuvo ocasión de abrir la visera para que saliese el vómito. El espectáculo no era demasiado agradable.

—Puaj —exclamó Holly apretando el botón de apertura de la visera del cabo. Una oleada de raciones de comida regurgitada se desparramó por el traje de pantalla total de Grub.

—Pero ¿qué es esto? —masculló Remo, abriéndose paso a codazos. No llegó demasiado lejos. En cuanto atravesó el umbral, empezó a vomitar como todos los demás.

Holly enfocó a los agentes enfermos con la cámara de su casco.

—Potrillo, ¿qué narices está pasando aquí?

—Eso trato de averiguar. Espera... —Holly oyó cómo el centauro aporreaba las teclas del ordenador con furia—. Vale. Vómitos repentinos, náuseas espaciales... Oh, no.

—¿Qué? —inquirió Holly, pero ya lo sabía. Tal vez lo había sabido desde el principio.

—Es la magia —empezó a explicar Potrillo, hablando de forma casi ininteligible por culpa del nerviosismo—. No pueden entrar en la casa hasta que Fowl esté muerto. Es como una reacción alérgica extrema. Eso significa..., sé que parece increíble, pero eso significa...

—Que lo han conseguido —terminó la frase Holly—. Está vivo. Artemis Fowl está vivo.

—*D'Arvit* —gruñó Remo, y arrojó otro cuarto de vómito en las baldosas de terracota.

Holly siguió adelante sola. Tenía que verlo con sus propios ojos. Si el cadáver de Fowl estaba allí, estaría junto al oro, de eso estaba segura. Los mismos retratos familiares la contemplaban desde arriba, pero ahora parecían más petulantes que severos. Holly sintió la tentación de descargar unas cuantas ráfagas de su Neutrino 2000 sobre ellos, pero eso iría contra las reglas. Si Artemis Fowl les había ganado, eso sería todo. No habría represalias.

Descendió la escalera que conducía a su celda. La puerta todavía se movía ligeramente por los efectos de la explosión. Un rayo de solinium rebotaba por la habitación como un relámpago azul atrapado. Holly se decidió a entrar con el temor de no saber lo que encontraría allí.

No había nada. Ningún muerto. Sólo oro: doscientos lingotes apilados en el colchón de su catre y ordenados en hileras al estilo militar. El bueno de Mayordomo, el único humano que se había enfrentado a un trol y lo había derrotado.

—¿Comandante? ¿Me recibe? Cambio.

—Afirmativo, capitana. ¿Cuántos cuerpos?

—Negativo en cuanto a cuerpos, señor. He encontrado el resto del rescate.

Se produjo un largo silencio.

—Déjalo, Holly. Ya conoces las reglas. Nos vamos de aquí.

—Pero, señor, tiene que haber una manera de...

Potrillo interrumpió la conversación.

—No hay peros que valgan, capitana. Estoy contando los segundos para que se haga de día, y no quiero ni imaginar lo que ocurrirá si tenemos que salir a pleno sol.

Holly lanzó un suspiro. Tenía sentido. Las Criaturas podían elegir su hora de salida, siempre y cuando abandonasen el terreno antes de que se desintegrase el campo temporal, pero le daba mucha rabia pensar que habían sido vencidos por un humano, un criajo adolescente, encima.

Echó un vistazo a la celda por última vez. Se dio cuenta de que allí dentro había nacido un odio intenso al que tendría que enfrentarse tarde o temprano. Holly enfundó la pistola. Cuanto antes, mejor. Fowl había ganado esta vez, pero alguien como él sería incapaz de quedarse dormido en los laureles. Volvería a atacar con algún nuevo plan para hacerse rico, y cuando lo hiciese, Holly Canija lo estaría esperando. Esperándolo con un arma gigantesca y una sonrisa.

El terreno junto al perímetro de la parada de tiempo estaba blando. Medio milenio de mala filtración del agua a través de las murallas medievales había transformado los cimientos de la casa en un cenagal. Y fue justo ahí donde Mantillo salió a la superficie.

El terreno blando no había sido la única razón por la que había escogido aquel lugar en concreto. La otra razón era el olor. Un buen enano de túnel es capaz de detectar el olor a oro a través de medio kilómetro de lecho de roca de granito. Mantillo Mandíbulas tenía uno de los mejores olfatos de la historia.

La aerovagoneta flotaba en el aire prácticamente sin vigilancia. Dos de los mejores duendes de Recuperación estaban apostados junto al rescate recuperado, pero en ese momento estaban distraídos burlándose de su comandante enfermo.

—No podía parar de trallar, ¿eh, Chix?

Chix asintió, imitando la técnica de vomitar de Remo.

Las payasadas de Chix Verbil le proporcionaron la tapadera perfecta para poner en práctica sus planes de robo. Mantillo se limpió bien las tripas antes de trepar para salir del túnel. Lo último que necesitaba era que una de sus aparatosas ventosidades alertase a los agentes de la PES de su presencia, pero no tenía por qué preocuparse: podría haberle dado en la cara a Chix Verbil con un gusano pegajoso y el duendecillo ni se habría percatado.

En cuestión de segundos, ya había transferido dos docenas de lingotes al túnel. Era la faena más fácil que había hecho nunca. Mantillo tuvo que ahogar una risita burlona al arrojar los últimos dos lingotes por el hoyo. La verdad, Julius le había hecho un gran favor metiéndole en todo aquel lío. Las cosas no podían haberle salido mejor: era libre como un pájaro, rico y, lo mejor de todo, lo daban por muerto. Para cuando la PES se diese cuenta de que faltaba todo aquel oro, Mantillo Mandíbulas estaría a medio continente de distancia. Si es que llegaban a darse cuenta.

El enano se agachó en el suelo. Necesitaría varios viajes para trasladar su nuevo tesoro, pero valía la pena el retraso. Con todo aquel dinero, podía cogerse la jubilación anticipada. Tendría que desaparecer por completo, eso por supuesto, pero ya estaba maquinando un plan en su mente perversa.

Viviría en la superficie durante un tiempo, haciéndose pasar por un enano humano con aversión a la luz. Puede que se comprase un ático de lujo con persianas muy gruesas. En Manhattan quizá, o en Montecarlo. Llamaría la atención, por supuesto, un enano que se esconde del sol, pero sería un enano inmensamente rico, eso sí. Y los humanos se tragarían cualquier historia, por extravagante que fuese, siempre que hubiese algo en ella para ellos, preferentemente algo verde que se dobla.

⊖ ⸮ ╎ ♌ ⟳ ✴ ⚿ ♆ ⊎ ⊖ ⚲ · ⸙ · ⸖ ⊖ ℛ · ∞ ⊖ ℛ ⊖ ♌

Artemis oyó una voz llamándolo por su nombre. Había un rostro detrás de la voz, pero estaba borroso, era difícil saber quién era. ¿Su padre quizá?

—¿Padre? —La palabra sonaba extraña en sus labios. Rara. Oxidada. Artemis abrió los ojos. Mayordomo estaba inclinado sobre él.

—Artemis. Estás despierto.

—Ah, Mayordomo. Eres tú.

Artemis se puso de pie y la cabeza le dio vueltas por el esfuerzo. Esperaba que la mano de Mayordomo lo agarrase por el codo para ayudarle a recobrar el equilibrio, pero la mano no llegó. Juliet estaba tumbada en una *chaise longue*, babeando encima de los cojines. Evidentemente, todavía no se le habían pasado los efectos.

—Sólo eran somníferos, Mayordomo. Inofensivos.

Mayordomo lo miraba con un brillo peligroso en los ojos.

—Quiero una explicación.

Artemis se restregó los ojos.

—Luego, Mayordomo. Estoy un poco...

Mayordomo lo alcanzó.

—Artemis, mi hermana está ahí tirada en ese sofá. Por poco se muere. ¡Quiero una explicación ahora!

Artemis se dio cuenta de que acababa de recibir una orden. Por un momento pensó en hacerse el ofendido, pero luego decidió que tal vez Mayordomo tenía razón. Había ido demasiado lejos.

—No te dije lo de los somníferos porque sabía que combatirías sus efectos. Es natural. Y era vital para el plan que nos quedásemos dormidos inmediatamente.

—¿El plan?

Artemis se sentó en una silla cómoda.

—El campo temporal era la clave de todo este asunto. Es la mejor baza de la PES y es lo que les ha hecho invencibles todos estos años. Cualquier incidente se puede controlar con una parada de tiempo. Eso y la biobomba hacen una magnífica combinación.

—¿Y por qué tuviste que drogarnos?

Artemis sonrió.

—Mira por la ventana. ¿No lo ves? Se han ido. Se ha acabado.

Mayordomo miró por los visillos. La luz era brillante y clara. No quedaba ni rastro de aquel azul. Pese a todo, el criado no estaba demasiado impresionado.

—Se han ido por ahora, pero volverán esta noche, seguro.

—No. Eso va contra las reglas. Les hemos ganado. Eso es todo, se ha acabado el juego.

Mayordomo arqueó una ceja.

—Los somníferos, Artemis.

—Nunca te das por vencido, ¿eh?

La respuesta del criado consistió en un silencio implacable.

—Los somníferos. Está bien. Tenía que pensar en un modo de escapar del campo temporal. Busqué por todo el Libro, pero no encontré nada, ni una sola pista. Ni siquiera las Criaturas han encontrado una manera, así que volví a su Antiguo Testamento, a cuando sus vidas y las nuestras estaban estrechamente ligadas. Ya conoces las leyendas: elfos que fabricaban zapatos durante la noche, duendes que limpiaban casas... Volví a cuando coexistíamos hasta cierto punto. Favores mágicos a cambio de sus colonias. El más importante, por supuesto, fue Santa Claus.

282

A Mayordomo por poco se le cae la ceja de la cara al arquearla.

—¿Santa Claus?

Artemis levantó las manos.

—Sí, ya lo sé, ya lo sé. Yo también era un poco escéptico al principio, pero al parecer nuestro comercial Santa Claus no desciende de un santo turco, sino que es un vestigio de San D'Klass, el tercer rey de la dinastía Elfin de Fronda. Se le conoce como a San el Iluso.

—Pues no es un gran apodo, que digamos.

—Y que lo digas. D'Klass pensaba que podía aplacar la codicia de los Fangosos de su reino repartiendo regalos muy costosos. Convocaría a los magos más importantes una vez al año y les haría realizar una parada en el tiempo en regiones muy extensas. Enviarían a una multitud de duendes para que repartiesen los regalos mientras los humanos dormían. Por supuesto, la cosa no funcionó. Es imposible aplacar la codicia humana, sobre todo mediante regalos.

Mayordomo frunció el ceño.

—¿Y si los humanos..., o sea, nosotros..., qué ocurriría si nos despertáramos?

—Ah, sí. Una excelente pregunta. El meollo de la cuestión. No nos despertaríamos. Esa es la naturaleza de la parada de tiempo. Sea cual sea el estado consciente en el que te encuentres, así es como te quedas. No puedes despertarte ni quedarte dormido. Debes de haber advertido la fatiga de tus huesos estas últimas horas, y sin embargo, tu mente no te dejaba dormir.

Mayordomo asintió. Las cosas se estaban aclarando, con muchos rodeos, pero ahora estaban un poco más claras.

Así que mi teoría era que el único modo de escapar de una parada en el tiempo era quedándose dormido, sencillamente. Nuestra propia conciencia era lo único que nos mantenía prisioneros.

—Y arriesgaste muchas cosas por una simple teoría, Artemis.

—No era sólo una teoría. Contábamos con un sujeto de estudio.

—¿Quién? Ah, Angeline.

—Sí, mi madre. A causa de su sueño inducido por los narcóticos, su vida avanzaba según el orden natural del tiempo, sin las trabas del campo temporal. De no haber sido así, me habría rendido ante la PES y nos habría sometido a todos a su limpieza de memoria. —Mayordomo soltó un gruñido. Tenía serias dudas al respecto—. De modo que como no podíamos quedarnos dormidos de forma natural, decidí administrarnos una dosis de las pastillas de Madre. Así de sencillo.

—Pero tus cálculos han salido bien por los pelos. Un minuto más y...

—Tienes razón —convino el chico—. Las cosas se complicaron un poco al final. Era necesario para engañar por partida doble a la PES.

Hizo una pausa para que Mayordomo pudiese procesar la información.

—¿Y bien? ¿Estoy perdonado?

Mayordomo lanzó un suspiro. En el sofá, Juliet roncaba como un marinero borracho. El sirviente esbozó una súbita sonrisa.

—Sí, Artemis. Todo está perdonado. Sólo una cosa...

—¿Sí?

—Nunca más. Las criaturas mágicas son demasiado... humanas.

—Tienes razón —dijo Artemis con unas ojeras muy profundas—. Nunca más. Nos limitaremos a dar golpes más agradables en el futuro. Aunque no te puedo prometer que sean legales.

Mayordomo asintió. Con aquello le bastaba.

—Y ahora, jovencito, ¿no deberíamos ir a ver cómo está tu madre?

Artemis se puso aún más pálido, si es que eso era posible. ¿Habría faltado la capitana a su promesa? Desde luego, tenía todo el derecho a haberlo hecho.

—Sí, supongo que deberíamos hacerlo. Deja descansar a Juliet. Se lo ha ganado.

Levantó la mirada hacia arriba, hacia la escalera. Esperar poder confiar en la elfa era mucho esperar. Al fin y al cabo, la había mantenido prisionera en contra de su voluntad. Se reprendió a sí mismo en silencio. La había dejado marchar con todos aquellos millones por la promesa de un deseo. Oh, la credulidad...

En ese momento, la puerta del desván se abrió.

Mayordomo sacó su arma de inmediato.

—Artemis, detrás de mí. Intrusos.

El chico hizo un gesto con la mano para tranquilizarlo.

—No, Mayordomo, no lo creo.

El corazón le latía desbocadamente y la sangre le palpitaba en las puntas de los dedos. ¿Podía ser verdad? ¿Era posible? Una figura apareció en la escalera. Como un espectro, en albornoz y con el pelo mojado después de una ducha.

—¿Arty? —lo llamó—. Arty, ¿estás ahí?

Artemis quería responder, quería subir la majestuosa escalera a todo correr y con los brazos abiertos, pero no podía. Sus funciones cerebrales lo habían abandonado.

Angeline Fowl descendió por la escalera apoyando ligeramente la mano en la barandilla. Artemis había olvidado la elegancia de los movimientos de su madre. Sus pies desnudos sortearon los escalones cubiertos de moqueta y en unos segundos estuvo frente a él.

—Buenos días, cariño —dijo alegremente, como si fuese un día más, simplemente.

—M... madre —tartamudeó Artemis.

—Bueno, ¿no me das un abrazo?

Artemis se acurrucó en los brazos de su madre. El abrazo era cálido y fuerte. Llevaba perfume. Se sintió como el chiquillo que era.

—Lo siento, Arty —le susurró al oído.

—¿Qué es lo que sientes?

—Todo. Estos últimos meses no he sido yo, pero las cosas van a cambiar. Ha llegado el momento de dejar de vivir en el pasado.

Artemis sintió la humedad de una lágrima en sus mejillas. No estaba seguro de a quién pertenecía esa lágrima.

—Y no tengo ningún regalo para ti.

—¿Un regalo? —exclamó Artemis.

—Pues claro —entonó su madre, dándole una vuelta en sus brazos—. ¿No sabes qué día es hoy?

—¿Qué día?

—Es Navidad, bobo. ¡Navidad! Los regalos son una tradición, ¿no?

«Sí —pensó Artemis—. Una tradición. San D'Klass.»

—Y mira esta casa. Triste como un mausoleo. ¿Mayordomo?

El sirviente se guardó la Sig Sauer a toda prisa.

—¿Sí, señora?

—Llama por teléfono a Brown Thomas. El número está en la agenda de platino. Reabre mi cuenta. Dile a Hélène que quiero una decoración completa de Navidad. Lo de siempre.

—Sí, señora. Lo de siempre.

—Ah, y despierta a Juliet. Quiero que traslade mis cosas al dormitorio principal. En ese desván hay demasiado polvo.

—Sí, señora. Enseguida, señora.

Angeline Fowl apretó el brazo de su hijo.

—Y ahora, Arty, quiero que me lo cuentes todo. En primer lugar, ¿qué ha pasado aquí?

—Hemos hecho unas cuantas reformas —le explicó Artemis—. La entrada principal estaba llena de humedades.

Angeline frunció el ceño, sin creer una sola palabra.

—Ya. ¿Y qué me dices de la escuela? ¿Has decidido ya qué carrera quieres hacer?

Mientras sus labios respondían a aquellas preguntas cotidianas, la mente de Artemis era un torbellino. Era un chico de nuevo. Su vida iba a sufrir grandes cambios. Iba a tener que elaborar sus planes mucho más que de costumbre si no quería llamar la atención de su madre, pero valdría la pena.

Angeline Fowl se equivocaba. Sí le había traído un regalo de Navidad.

EPÍLOGO

Ahora que ya habéis revisado el expediente del caso, ya os habréis dado cuenta de lo peligroso que es este sujeto, Fowl.

Existe cierta tendencia a idealizar a Artemis, a atribuirle cualidades que no posee. El hecho de que utilizase su deseo para curar a su madre no es un signo de afecto, lo hizo simplemente porque los Servicios Sociales ya estaban investigando su caso y era sólo cuestión de tiempo el que lo internasen en un centro para menores.

Mantuvo la existencia de las Criaturas en secreto sólo para poder seguir explotándolas a lo largo de los años, cosa que hizo en varias ocasiones. Su único error fue dejar a la capitana Canija con vida. Holly se convirtió en la experta más destacada de la PES en los casos de Artemis Fowl, y fue muy valiosa en la lucha contra el enemigo más temible de las Criaturas. Dicha lucha se prolongaría durante varias décadas.

Irónicamente, el mayor triunfo para ambos protagonistas fue la vez en que se vieron obligados a trabajar juntos en la sublevación de los goblins. Pero eso es otra historia.

Informe elaborado por el doctor J. Argon, experto en psicología, para los archivos de la Academia de la PES.

Los detalles tienen un 94 por 100 de precisión y un 6 por 100 de extrapolación inevitable.

FIN